한국어
그림동사사전 하

김희영 · 강정애 · 김승미 · 김은형 · 전효진 공저

학지사 inpsyt 인싸이트
Insight of psychology
심리검사연구소

머리말

2002년『그림 동작어 사전』이 발행된 이후 15년의 시간이 지났습니다. 당시에 다른 나라의 풍부한 자료가 부러워서 한국어 자료를 만들고 싶다는 의지만 가지고 시작한 작업이었습니다. 그리고 2015년 4월『한국어 그림동사사전』개정 작업을 시작하였습니다. 오랜 시간이 지나면서 시대의 변화에 따라 새로운 어휘들을 추가해야 했고, 컬러 그림으로 꼭 다시 만들어 달라는 요청이 있었기 때문입니다. 『한국어 그림동사사전』은 2002년에 발행된『그림 동작어 사전』의 어휘를 바탕으로 취학 전 아동들이 최근에 많이 사용하는 어휘를 포함하였습니다. 삽화는 취학 전 아동들의 동사 이해를 위해 실생활에서 사용되는 동사의 의미가 최대한 잘 드러나도록 새로 그려 제시하였습니다. 그림으로 나타낸 동사와 형용사를 담았기 때문에 '한국어 그림용언사전'이라는 이름이 적합할 수 있으나, 보다 친숙한『한국어 그림동사사전』을 제목으로 정하였습니다. 이 사전에 제시한 여러 가지 상황그림을 통해 취학 전 아동, 외국인, 언어장애인이 한국어를 이해하는 데 많은 도움을 줄 수 있을 거라 믿습니다.

『한국어 그림동사사전』에 수록된 어휘를 배치하는 과정에서 다음의 사항을 고려하였습니다. 첫째, 사전 순서로 배치하였습니다. 둘째, 동사의 어미는 '-다/-요'로 두었습니다. 동사의 기본형은 '-다'이나, 구어체 표현 시 일반적으로 '-요'를 사용하게 되며, 기본형에서 구어체 표현으로 적용이 어려운 아동이 많아 '-다/-요'를 같이 제시하였습니다. 셋째, '불나다' '교통정리 하다'와 같이 통상적으로 많이 사용되는 동사는 '나다' '정리하다'에는 그림을 두지 않고, '불나다' '교통정리 하다'에 배치하였습니다. 넷째, 표준어 '박수하다'보다는 '박수치다'와 같이 통상적으로 많이 쓰이는 것을 사용하였습니다. 다섯째, '코피 나다' '피 나다'와 같이 두 가지가 쓰인다고 판단되는 동사는 양쪽 모두 배치하였습니다. 여섯째, 같은 동사가 여러 장일 경우 그림의 순서는 아동부터 어른으로, 사람부터 동물로, 사람부터 사물로, 고빈도 사용 어휘부터 저빈도 사용 어휘 순으로 배치하였습니다. 일곱째, 운동의 경우는 '골프 치다' '스케이트보드 타다' 등으로 명사와 동사가 결합된 형태의 동사로 제시하였습니다. 여덟째, 한 그림으로 여러 가지의 의미를 사용할 수 있을 경우 단독 의미로 쓰이는 그림을 앞에 배치하고, 두 가지로 표현되는 그림을 뒤에 배치하였습니다. 예를 들면, '주다'의 경우 '주다'의 의미가 큰 그림을 앞에 두고, 주고받는 의미의 그림은 뒤에 배치하였습니다. 아홉째, 한 어휘가 여러 가지 의미로 쓰이는 경우 품사별·의미별로 그림을 배치하였습니다. 예를 들면, '차다'는 '공을 차다' '시계를 차다' 등의 의미가 있는데, 이때 고빈도 동사인 '공을 차다' 그림을 앞에 배치하였습니다. 열째, 동사 이해를 위해 상황을 나타내는 종합 그림을 포함하였습니다.

이 과정을 통해 최종적으로 『한국어 그림동사사전』에 수록된 어휘목록에 나타난 어휘 수는 553개이며, 그 활용을 나타낸 그림의 수는 모두 1,530컷이고, 종합 그림은 10컷입니다. 부족함을 채우기 위해 노력했지만, 여전히 담지 못한 어휘들이 있을 것입니다. 더 좋은 자료가 될 수 있도록 많은 조언 바랍니다.

『한국어 그림동사사전』에서는 부록으로 용언 활용의 예시와 불규칙용언의 목록을 두었습니다. 언어 습득 기간에 용언의 어미를 자연스럽게 습득하는 아동이 있는 반면, 여러 가지 원인으로 그 변화를 잘 감지하지 못하고 적용하는 데 어려움을 겪는 아동도 있습니다. 이 책에서는 용언과 어미의 뜻을 이해하고, 문법과 시제에 맞는 정확한 어미 활용을 이해할 수 있도록 용언의 어미 활용 및 규칙·불규칙 활용을 제시하였습니다. 용언은 문장에서 어떻게 쓰이느냐에 따라 어미의 형태가 변하여 문법적인 의미를 더해 줍니다. 여러 가지 문법적 활용 및 의미가 있으나 부록에서는 아동들이 자주 사용하는 기본형/현재형(다, 요), 과거형(았다/었다, 았어요/었어요), 미래/추측/관형사형(ㄹ 것이다, ㄹ 거예요), 관형사형[ㄴ/(으)ㄴ, 는], 나열형(고), 대립대조형[는데/(으)ㄴ데], 이유원인형[아서/어서, (으)니까], 조건형[(으)면], 목적형[(으)러], 선택형(거나)을 선택하였습니다. 부록을 통하여 다양한 의미를 적절히 엮어 표현할 수 있고 문법 활용 정확성을 증진시킬 수 있을 것입니다.

2015년 4월부터 개정 작업에 참여하신 부지런한 강정애, 꼼꼼한 김승미, 성실한 김은형, 행복한 전효진 선생님의 열정에 감사드립니다. 살아 있는 듯한 생생한 그림으로 볼 때마다 미소 짓게 해 주신 만화삽화가 김준식 님에게 감사를 드립니다. 많은 그림 자료를 좋은 자료로 완성해 주신 편집진 여러분께도 진심으로 감사드립니다. 2002년 『그림 동작어 사전』부터 2014년의 〈그림을 보면 문장이 술술〉 시리즈 자료까지 출판할 수 있도록 지지해 주신 학지사 김진환 사장님께 깊이 감사드립니다.

2017년
대표연구자 김희영

차례

특징 및 사용법

1. 『한국어 그림동사사전』은 한국어 동사 개념을 그림으로 설명한 동사사전입니다. 한 동사의 다양한 쓰임새를 반복 지도하여 습득할 수 있습니다. 예를 들면, '가다'는 '화장실에 가다' '놀이터에 가다' '유치원에 가다' '동물원에 가다' '마트에 가다' '병원에 가다' '회사에 가다' '집에 가다' 등을 나타냅니다. 또한 하나의 동사가 여러 가지 의미를 나타내는 동음이의어를 그림으로 확인할 수 있습니다. 예를 들면, '감다'는 '눈을 감다' '머리를 감다' '붕대를 감다' '실을 감다'의 뜻을 가집니다.

2. 10장의 종합 그림은 '가다, 넣다, 먹다, 사다, 아프다, 주다, 타다'의 고빈도어의 이해를 더하기 위한 그림입니다. 낱장으로 제시되었던 동사를 상황 그림을 보고 이해할 수 있습니다.

3. 사전 순서에 따른 동사의 제시는 '먹다/먹어요, 걷다/걷어요, 걷다/걸어요' 등과 같이 기본형 '-다'와 함께 '-요'를 두어, 자연스러운 구어 표현을 익힐 수 있게 하였습니다.

4. 언어장애 치료 · 언어 교육 현장에서 사용할 수 있도록 표준어(표), 준말(준), 상용어(상), 연관어(연), 반의어(반), 주동(주), 사동(사), 능동(능), 피동(피), 외국어(외) 동사를 기본형과 함께 제시하였습니다.

1) 표준어(표): 동사의 표준어는 (표)로 표시하였습니다.

2) 준말(준): 표준어를 줄여서 사용하는 동사를 준말이라 하고, (준)으로 표시하였습니다.

3) 상용어(상): 문법적이지 않거나 표준어가 아니나 아동들이 현재 많이 사용하는 단어를 상용어라 하였으며, (상)으로 표시하였습니다.

4) 연관어(연): 동사와 관련 있는 어휘 또는 그림을 보고 유추할 수 있는 다른 표현이나 비슷한 어휘 등을 연관어라 하였으며, (연)으로 표시하였습니다.

5) 반의어(반): 뜻이 서로 반대되는 관계에 있는 단어로, (반)으로 표시하였습니다.

6) 주동(주): 동사 주동의 의미는 (주)로 표시하였습니다.

7) 사동(사): 동사 사동의 의미는 (사)로 표시하였습니다.

8) 능동(능): 동사 능동의 의미는 (능)으로 표시하였습니다.

9) 피동(피): 동사 피동의 의미는 (피)로 표시하였습니다.

10) 외국어(외): 상용어 중 외국어를 (외)로 표시하였습니다.

5. 음소 /ㄹ/은 두음법칙에 따라 단어를 두지 않았습니다.

6. 『한국어 그림동사사전』은 문장 지도에 사용할 수 있습니다. 동사를 보고 문장으로 표현하고 긴 문장으로 연결하고 조직화하는 연습을 할 수 있습니다.

7. 『한국어 그림동사사전』은 조음 지도에 사용할 수 있습니다. 동사를 음소별로 배치하여 조음음운 치료 시 일반화 단계에서 문장을 만들어 지도할 때 사용할 수 있습니다.

8. 부록으로는 동사의 목록, 용언 활용의 예 및 불규칙용언의 목록을 두었습니다. 동사의 어미 활용에는 여러 가지 의미가 있으나 아동들이 많이 사용하는 기본형/현재형(다, 요), 과거형(았다/었다, 았어요/었어요), 미래/추측/관형사형(ㄹ 것이다, ㄹ 거예요), 관형사형[ㄴ/(으)ㄴ, 는], 나열형(고), 대립대조형[는데/(으)ㄴ데], 이유원인형[아서/어서, (으)니까], 조건형[(으)면], 목적형[(으)러], 선택형(거나)을 제시하였습니다.

9. 그림을 잘라서 카드처럼 사용할 수 있습니다. 음소별로 테두리의 색이 달라 구분이 쉽습니다.

1

1 사고 나다/사고 나요(1)
연 부딪치다

2 사고 나다/사고 나요(2)
연 부딪치다

3 사다/사요(1)
반 팔다

4 사다/사요(2)
반 팔다

5 사다/사요(3)
반 팔다

6 사다/사요(4)
반 팔다

ㄱ ㄲ ㄴ ㄷ ㄸ ㅁ ㅂ ㅃ ㅅ ㅆ ㅇ ㅈ ㅉ ㅊ ㅋ ㅌ ㅍ ㅎ

꽃 가게

7 사다/사요(5)
반 팔다

슈퍼마켓

8 사다/사요(6)
반 팔다

과일 가게

9 사다/사요(7)
반 팔다

10 사다/사요(8)
반 팔다

생선 가게

11 사다/사요(9)
반 팔다

12 사다/사요(10)
반 팔다

[그림 1-1] **사다/사요**

13 산책하다/산책해요
연 걷다

14 샤워하다/샤워해요(1)
연 닦다, 목욕하다, 씻다

15 샤워하다/샤워해요(2)
연 닦다, 목욕하다, 씻다

16 서다/서요(1)
반 앉다

17 서다/서요(2)

18 서다/서요(3)

ㄱ ㄲ ㄴ ㄷ ㄸ ㅁ ㅂ ㅃ ㅅ ㅆ ㅇ ㅈ ㅉ ㅊ ㅋ ㅌ ㅍ ㅎ

19 서다/서요(1)
⟨연⟩ 기다리다, 멈추다 ⟨반⟩ (건너)가다

20 서다/서요(2)
⟨연⟩ 멈추다, 정지하다 ⟨반⟩ 가다 ⟨사⟩ 세우다

21 서다/서요(3)
⟨연⟩ 멈추다, 정지하다

22 서다/서요(4)
⟨연⟩ 놀라다, 멈추다, 정지하다

23 서다/서요(5)
⟨연⟩ 멈추다, 정지하다

24 섞다/섞어요(1)
⟨연⟩ 젓다

25 섞다/섞어요(2)
연 젓다

26 섞다/섞어요(3)
연 젓다, 타다

27 설거지시키다/설거지시켜요
연 닦다 능 설거지하다

28 설거지하다/설거지해요(1)
연 닦다

29 설거지하다/설거지해요(2)
연 닦다 사 설거지시키다

30 세다/세어요(1)

31 세다/세어요(2)

32 세다/세어요(3)

33 세다/세요(1)
⑩ 약하다

34 세다/세요(2)
⑩ 약하다

35 세배하다/세배해요
⑪ 절하다

36 세수시키다/세수시켜요(1)
⑪ 닦이다, 씻기다 ㈜ 세수하다

ㄱ ㄲ ㄴ ㄷ ㄸ ㅁ ㅂ ㅃ ㅅ ㅆ ㅇ ㅈ ㅉ ㅊ ㅋ ㅌ ㅍ ㅎ

37 세수시키다/세수시켜요(2)
연 닦이다, 씻기다 주 세수하다

38 세수하다/세수해요(1)
사 세수시키다

39 세수하다/세수해요(2)

40 세우다/세워요
주 서다

41 세우다/세워요
주 서다

42 세차하다/세차해요
연 닦다

43 소리치다/소리쳐요

44 소풍 가다/소풍 가요
연 체험학습 가다, 현장학습 가다

45 손들다/손들어요
연 대답하다, 발표하다

46 수영하다/수영해요(1)
연 튜브 타다, 헤엄치다

47 수영하다/수영해요(2)
연 헤엄치다

48 수영하다/수영해요(3)
연 뛰어들다, 출발하다

49 숨기다/숨겨요(1)
ⓒ 감추다

50 숨기다/숨겨요(2)
ⓒ 감추다

51 숨다/숨어요(1)
ⓒ 숨바꼭질하다 ⓑ 찾다

꼭꼭 숨어라~
머리카락
보인다~

52 숨다/숨어요(2)
ⓒ 숨바꼭질하다 ⓑ 찾다

53 숨다/숨어요(3)
ⓑ 찾다

54 숨다/숨어요(4)

55 숨 쉬다/숨 쉬어요(1)
⑲ 호흡하다

56 숨 쉬다/숨 쉬어요(2)
⑲ 호흡하다

57 쉬다/쉬어요
⑲ 눕다, 힘들다 ⑪ 일하다

휴가

58 스노보드 타다/스노보드 타요

59 스케이트 타다/스케이트 타요

60 스키 타다/스키 타요

시끄럽다/시끄러워요

61 ⑲ 크다 ⑭ 조용하다

시들다/시들어요

62 ⑲ 지다, 죽다 ⑭ 싱싱하다

시원하다/시원해요

63 ⑭ 덥다

식히다/식혀요(1)

64 ⑲ 불다

식히다/식혀요(2)

65 ⑲ 불다

신기다/신겨요

66 ㈜ 신다

67 신다/신어요(1)
㉠ 신기다

68 신다/신어요(2)

69 신다/신어요(3)

70 신다/신어요(4)
㉔ 신기다

71 싣다/실어요
㉙ 운반하다, 이사하다 ㉆ 내리다

72 심다/심어요(1)

ㄱ ㄲ ㄴ ㄷ ㄸ ㅁ ㅂ ㅃ ㅅ ㅆ ㅇ ㅈ ㅉ ㅊ ㅋ ㅌ ㅍ ㅎ

73 심다/심어요(2)
엔 뿌리다

74 심부름시키다/심부름시켜요(1)
능 심부름하다

75 심부름시키다/심부름시켜요(2)
능 심부름하다

76 심부름시키다/심부름시켜요(3)
능 심부름하다

77 심부름하다/심부름해요
사 심부름시키다

78 심심하다/심심해요
엔 지루하다 반 재미있다

싱싱하다/싱싱해요
79 ㉭ 피다 ㉫ 시들다

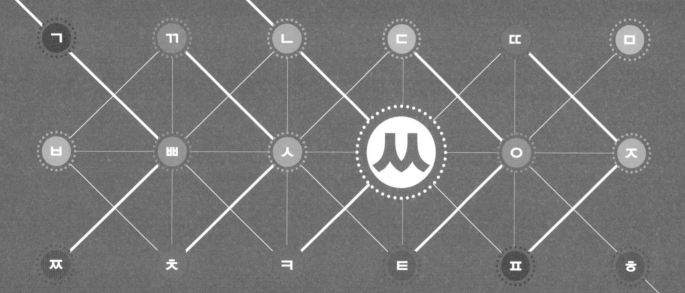

1	싸다(1)	27	쓰다(1)	53	씩씩하다(3)
2	싸다(2)	28	쓰다(2)	54	씹다(1)
3	싸다(1)	29	쓰다(1)	55	씹다(2)
4	싸다(2)	30	쓰다(2)	56	씻다(1)
5	싸다(3)	31	쓰다(3)	57	씻다(2)
6	싸우다(1)	32	쓰다(4)	58	씻다(3)
7	싸우다(2)	33	쓰다(5)		
8	싸우다(3)	34	쓰다(6)		
9	쌓다(1)	35	쓰다(7)		
10	쌓다(2)	36	쓰다(8)		
11	쌓다(3)	37	쓰다듬다(1)		
12	썩다(1)	38	쓰다듬다(2)		
13	썩다(2)	39	쓰다듬다(3)		
14	썰다(1)	40	쓰다듬다(4)		
15	썰다(2)	41	쓰다듬다(5)		
16	쏘다(1)	42	쓰러지다		
17	쏘다(2)	43	쓸다(1)		
18	쏘다(3)	44	쓸다(2)		
19	쏘다(4)	45	씌우다(1)		
20	쏘다(5)	46	씌우다(2)		
21	쏘이다	47	씌우다(3)		
22	쏟다(1)	48	씌우다(4)		
23	쏟다(2)	49	씨름하다(1)		
24	쏟다(3)	50	씨름하다(2)		
25	쏟다(4)	51	씩씩하다(1)		
26	쓰다	52	씩씩하다(2)		

1 싸다/싸요(1)
연 포장하다 반 풀다

2 싸다/싸요(2)
연 만들다, 말다

3 싸다/싸요(1)
연 누다

4 싸다/싸요(2)

5 싸다/싸요(3)
연 누다

6 싸우다/싸워요(1)
연 다투다 반 말리다

ㄱ ㄲ ㄴ ㄷ ㄸ ㅁ ㅂ ㅃ ㅅ **ㅆ** ㅇ ㅈ ㅉ ㅊ ㅋ ㅌ ㅍ ㅎ

7 싸우다/싸워요(2)

연 다투다 반 말리다

8 싸우다/싸워요(3)

연 다투다

9 쌓다/쌓아요(1)

연 만들다 반 부수다

10 쌓다/쌓아요(2)

11 쌓다/쌓아요(3)

연 짓다

12 썩다/썩어요(1)

연 빠지다

13 썩다/썩어요(2)

⑲ 냄새나다, 상하다

14 썰다/썰어요(1)

⑲ 자르다

15 썰다/썰어요(2)

⑲ 자르다

16 쏘다/쏘아요(1)

⑲ 맞추다, 죽다

17 쏘다/쏘아요(2)

⑲ 맞추다, 명중하다, 양궁 하다

18 쏘다/쏘아요(3)

⑲ 맞추다, 발사하다, 사격하다, 죽다

19 쏘다/쏘아요(4)
연 발사하다

20 쏘다/쏘아요(5)
피 쏘이다

21 쏘이다/쏘여요
능 쏘다

22 쏟다/쏟아요(1)
연 붓다

23 쏟다/쏟아요(2)
연 흘리다

24 쏟다/쏟아요(3)
연 엎지르다

25 쏟다/쏟아요(4)
연 따르다

26 쓰다/써요
반 달다

27 쓰다/써요(1)
연 글씨 쓰다, 공부하다, 적다

28 쓰다/써요(2)
연 편지 쓰다

29 쓰다/써요(1)
연 비 오다

30 쓰다/써요(2)
연 끼다 반 벗다

31 쓰다/써요(3) ⑲ 끼우다 ⑭ 벗다

32 쓰다/써요(4) ⑭ 벗다

33 쓰다/써요(5) ⑭ 벗다

34 쓰다/써요(6) ⑭ 벗다

35 쓰다/써요(7) ⑭ 벗다

36 쓰다/써요(8) ⑭ 벗다

ㄱ ㄲ ㄴ ㄷ ㄸ ㅁ ㅂ ㅃ ㅅ ㅆ ㅇ ㅈ ㅉ ㅊ ㅋ ㅌ ㅍ ㅎ

37 쓰다듬다/쓰다듬어요(1)
연 칭찬하다

38 쓰다듬다/쓰다듬어요(2)

39 쓰다듬다/쓰다듬어요(3)

40 쓰다듬다/쓰다듬어요(4)

41 쓰다듬다/쓰다듬어요(5)

42 쓰러지다/쓰러져요

43 쓸다/쓸어요(1)
연 청소하다

44 쓸다/쓸어요(2)
연 청소하다

45 씌우다/씌어요(1)
주 쓰다

46 씌우다/씌어요(2)
주 쓰다

47 씌우다/씌어요(3)
주 쓰다

48 씌우다/씌어요(4)
연 만들다

ㄱ ㄲ ㄴ ㄷ ㄸ ㅁ ㅂ ㅃ ㅅ ㅆ ㅇ ㅈ ㅉ ㅊ ㅋ ㅌ ㅍ ㅎ

씨름하다/씨름해요(1)

49

씨름하다/씨름해요(2)

50 ⓔ 뒤집다, 뒤집히다

씩씩하다/씩씩해요(1)

51 ⓔ 연습하다, 태권도 하다, 훈련하다

씩씩하다/씩씩해요(2)

52 ⓔ 용감하다

씩씩하다/씩씩해요(3)

53 ⓔ 훈련하다

씹다/씹어요(1)

54

55 씹다/씹어요(2)
ⓔ 먹다

56 씻다/씻어요(1)
ⓔ 닦다

57 씻다/씻어요(2)
ⓔ 닦다

58 씻다/씻어요(3)
ⓔ 닦다, 설거지하다

3

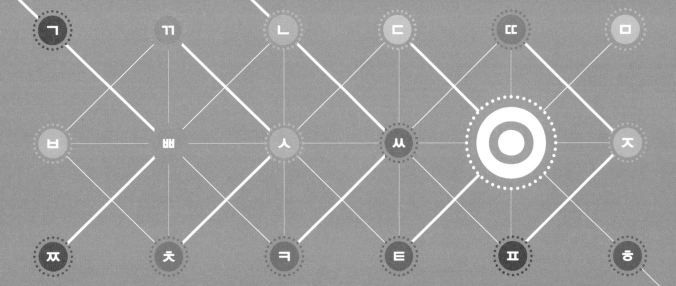

1	아프다(1)	27	야구 하다(2)	53	엎지르다(2)	79	올라가다(1)	105	웃기다	131	입다(3)
2	아프다(2)	28	야구 하다(3)	54	연기 나다(1)	80	올라가다(2)	106	웃다(1)	132	입다(4)
3	아프다(3)	29	약속하다	55	연기 나다(2)	81	올라가다(3)	107	웃다(2)	133	입다(5)
4	아프다(4)	30	약하다	56	연습시키다(1)	82	올라가다(4)	108	웃다(3)	134	입다(6)
5	아프다(5)	31	얇다	57	연습시키다(2)	83	올라가다(5)	109	웃다(4)	135	입히다(1)
6	아프다(6)	32	양궁 하다	58	연습하다(1)	84	올라가다(6)	110	웃다(5)	136	입히다(2)
7	아프다(7)	33	양보하다	59	연습하다(2)	85	올라가다(7)	111	웃다(6)		[그림 3-1] 아프다
8	아프다(8)	34	얕다	60	연주하다(1)	86	올라가다(8)	112	윷놀이하다		
9	아프다(9)	35	어깨동무하다	61	연주하다(2)	87	올라가다(9)	113	이기다(1)		
10	아프다(10)	36	어둡다(1)	62	연주하다(3)	88	올라가다(10)	114	이기다(2)		
11	악수하다	37	어둡다(2)	63	열다(1)	89	올리다(1)	115	이기다(3)		
12	안기다	38	어지럽다	64	열다(2)	90	올리다(2)	116	이사하다		
13	안다(1)	39	어지르다	65	열다(3)	91	올리다(3)	117	인라인스케이트 타다		
14	안다(2)	40	얹다(1)	66	열다(4)	92	외우다	118	인사하다(1)		
15	안다(3)	41	얹다(2)	67	열다(5)	93	요리하다(1)	119	인사하다(2)		
16	안다(4)	42	업다(1)	68	열다(6)	94	요리하다(2)	120	인사하다(3)		
17	안다(5)	43	업다(2)	69	열다(7)	95	운전하다(1)	121	일어나다(1)		
18	안마하다	44	업히다(1)	70	열다(8)	96	운전하다(2)	122	일어나다(2)		
19	앉다(1)	45	업히다(2)	71	열리다	97	울다(1)	123	일하다(1)		
20	앉다(2)	46	업히다(3)	72	열리다	98	울다(2)	124	일하다(2)		
21	앉다(3)	47	없다(1)	73	엿듣다	99	울다(3)	125	일하다(3)		
22	앉다(4)	48	없다(2)	74	엿보다	100	울다(4)	126	읽다(1)		
23	앉다(5)	49	없다(3)	75	오다(1)	101	울리다	127	읽다(2)		
24	앉히다(1)	50	없다(4)	76	오다(2)	102	울리다(1)	128	잃어버리다		
25	앉히다(2)	51	엎드리다	77	오다(3)	103	울리다(2)	129	입다(1)		
26	야구 하다(1)	52	엎지르다(1)	78	오리다	104	울리다(3)	130	입다(2)		

1 아프다/아파요(1)
연 열나다

2 아프다/아파요(2)
연 병원 가다

3 아프다/아파요(3)

4 아프다/아파요(4)
연 맞다

5 아프다/아파요(5)
연 주사 놓다, 주사 맞다

6 아프다/아파요(6)
연 깁스하다, 다치다, 부러지다

7 아프다/아파요(7)
연 밟다, 밟히다

8 아프다/아파요(8)
연 깁스하다, 다치다, 목발 짚다, 부러지다

9 아프다/아파요(9)
연 열나다

10 아프다/아파요(10)
연 다치다

11 악수하다/악수해요
연 만나다, 인사하다

12 안기다/안겨요
주 안다

ㄱ ㄲ ㄴ ㄷ ㄸ ㅁ ㅂ ㅃ ㅅ ㅆ ㅇ ㅈ ㅉ ㅊ ㅋ ㅌ ㅍ ㅎ

[그림 3-1] **아프다/아파요**

13 안다/안아요(1)
㈜ 안기다

14 안다/안아요(2)

15 안다/안아요(3)

16 안다/안아요(4)

17 안다/안아요(5)

18 안마하다/안마해요
㈜ 주무르다

ㄱ ㄲ ㄴ ㄷ ㄸ ㅁ ㅂ ㅃ ㅅ ㅆ ㅇ ㅈ ㅉ ㅊ ㅋ ㅌ ㅍ ㅎ

19 앉다/앉아요(1)
반 서다

20 앉다/앉아요(2)
반 서다

21 앉다/앉아요(3)
연 선탠 하다, 타다 반 서다

22 앉다/앉아요(4)
반 서다 사 앉히다

23 앉다/앉아요(5)
연 날다

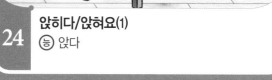

24 앉히다/앉혀요(1)
능 앉다

25 앉히다/앉혀요(2)
능 앉다

26 야구 하다/야구 해요(1)
연 던지다, 받다

27 야구 하다/야구 해요(2)
연 던지다, 받다

28 야구 하다/야구 해요(3)
연 치다

29 약속하다/약속해요

30 약하다/약해요
연 들다 반 세다

31 얇다/얇아요
(반) 두껍다

32 양궁 하다/양궁 해요

33 양보하다/양보해요

34 얕다/얕아요
(반) 깊다

35 어깨동무하다/어깨동무해요
(연) 친하다

36 어둡다/어두워요(1)
(연) 깜깜하다 (반) 밝다, 환하다

ㄱ ㄲ ㄴ ㄷ ㄸ ㄹ ㅁ ㅂ ㅃ ㅅ ㅆ **ㅇ** ㅈ ㅉ ㅊ ㅋ ㅌ ㅍ ㅎ

37 어둡다/어두워요(2)
연 깜깜하다 반 밝다, 환하다

38 어지럽다/어지러워요
연 돌다

39 어지르다/어질러요
반 정리하다, 치우다

40 얹다/얹어요(1)
연 올리다 반 꺼내다, 내리다

41 얹다/얹어요(2)
연 올리다 반 꺼내다, 내리다

42 업다/업어요(1)
연 어부바하다 피 업히다

ㄱ ㄲ ㄴ ㄷ ㄸ ㅁ ㅂ ㅃ ㅅ ㅆ ㅇ ㅈ ㅉ ㅊ ㅋ ㅌ ㅍ ㅎ

43 업다/업어요(2)
연 어부바하다 피 업히다

44 업히다/업혀요(1)
능 업다

45 업히다/업혀요(2)
주 업다

46 업히다/업혀요(3)
주 능 업다

47 없다/없어요(1)
반 있다

48 없다/없어요(2)
반 있다

49 없다/없어요(3)

50 없다/없어요(4)

51 엎드리다/엎드려요
반 눕다

52 엎지르다/엎질러요(1)
연 쏟다, 엎다

53 엎지르다/엎질러요(2)
연 쏟다, 엎다

54 연기 나다/연기 나요(1)

55 연기 나다/연기 나요(2)
연 타다

56 연습시키다/연습시켜요(1)
연 훈련시키다 주 연습하다

57 연습시키다/연습시켜요(2)
연 훈련시키다

58 연습하다/연습해요(1)
연 훈련하다

59 연습하다/연습해요(2)
연 태권도 하다, 훈련하다

60 연주하다/연주해요(1)
연 치다

ㄱ ㄲ ㄴ ㄷ ㄸ ㅁ ㅂ ㅃ ㅅ ㅆ ㅇ ㅈ ㅉ ㅊ ㅋ ㅌ ㅍ ㅎ

연주하다/연주해요(2)
61 연 켜다

연주하다/연주해요(3)
62 연 치다

열다/열어요(1)
63 반 닫다 피 열리다

열다/열어요(2)
64 반 닫다 피 열리다

열다/열어요(3)
65 반 닫다

열다/열어요(4)
66 반 닫다

열다/열어요(5)

67 반 닫다

열다/열어요(6)

68 연 돌리다 반 닫다

열다/열어요(7)

69 반 닫다

열다/열어요(8)

70 반 닫다

열리다/열려요

71 반 닫히다 능 열다

열리다/열려요

72 연 맺히다

73 엿듣다/엿들어요

74 엿보다/엿봐요

75 오다/와요(1)
(연) 기다

76 오다/와요(2)
(연) 퇴근하다

77 오다/와요(3)
(연) 부르다

78 오리다/오려요
(연) 자르다

ㄱ ㄲ ㄴ ㄷ ㄸ ㅁ ㅂ ㅃ ㅅ ㅆ ㅇ ㅈ ㅉ ㅊ ㅋ ㅌ ㅍ ㅎ

79 올라가다/올라가요(1)
(반) 내려가다

80 올라가다/올라가요(2)
(반) 내려가다

81 올라가다/올라가요(3)
(반) 내려가다

82 올라가다/올라가요(4)
(연) 잡다

83 올라가다/올라가요(5)
(반) 내려가다

84 올라가다/올라가요(6)
(반) 내려가다

ㄱ ㄲ ㄴ ㄷ ㄸ ㅁ ㅂ ㅃ ㅅ ㅆ ㅇ ㅈ ㅉ ㅊ ㅋ ㅌ ㅍ ㅎ

85 올라가다/올라가요(7)
(반) 내려가다

86 올라가다/올라가요(8)
(연) 이기다, 일등 하다

87 올라가다/올라가요(9)
(반) 내려가다

88 올라가다/올라가요(10)
(반) 내려가다

89 올리다/올려요(1)
(연) 얹다 (반) 내리다

90 올리다/올려요(2)
(연) 얹다 (반) 내리다

ㄱ ㄲ ㄴ ㄷ ㄸ ㅁ ㅂ ㅃ ㅅ ㅆ ㅇ ㅈ ㅉ ㅊ ㅋ ㅌ ㅍ ㅎ

91 올리다/올려요(3)
연 잠그다 반 내리다

92 외우다/외워요
연 암기하다

93 요리하다/요리해요(1)
연 끓이다, 조리하다

94 요리하다/요리해요(2)
연 끓이다, 조리하다

95 운전하다/운전해요(1)

96 운전하다/운전해요(2)

울다/울어요(1)
97 (반) 웃다

울다/울어요(2)
98 (반) 웃다 (사) 울리다

울다/울어요(3)
99 (반) 웃다

울다/울어요(4)
100 (반) 웃다 (사) 울리다

울리다/울려요
101 (반) 웃기다

울리다/울려요(1)
102

103 울리다/울려요(2)

104 울리다/울려요(3)
연 깨다, 일어나다

105 웃기다/웃겨요
주 웃다

106 웃다/웃어요(1)
반 울다 피 웃기다

107 웃다/웃어요(2)
반 울다 사 웃기다

108 웃다/웃어요(3)
연 재미있다

ㄱ ㄲ ㄴ ㄷ ㄸ ㅁ ㅂ ㅃ ㅅ ㅆ ㅇ ㅈ ㅉ ㅊ ㅋ ㅌ ㅍ ㅎ

웃다/웃어요(4)

109 연 재미있다

웃다/웃어요(5)

110 반 울다

웃다/웃어요(6)

111 반 울다

윷놀이하다/윷놀이해요

112

이기다/이겨요(1)

113 연 골인 하다, 우승하다, 일등 하다

이기다/이겨요(2)

114 반 지다

115 이기다/이겨요(3)
반 지다

116 이사하다/이사해요
연 나르다, 옮기다

117 인라인스케이트 타다/인라인스케이트 타요

118 인사하다/인사해요(1)

119 인사하다/인사해요(2)

120 인사하다/인사해요(3)

ㄱ ㄲ ㄴ ㄷ ㄸ ㅁ ㅂ ㅃ ㅅ ㅆ ㅇ ㅈ ㅉ ㅊ ㅋ ㅌ ㅍ ㅎ

121 일어나다/일어나요(1)
연 깨다

122 일어나다/일어나요(2)
연 깨다

123 일하다/일해요(1)
반 놀다, 쉬다

124 일하다/일해요(2)
반 놀다, 쉬다

125 일하다/일해요(3)
반 놀다, 쉬다

126 읽다/읽어요(1)
연 공부하다, 독서하다, 보다

ㄱ ㄲ ㄴ ㄷ ㄸ ㅁ ㅂ ㅃ ㅅ ㅆ ㅇ ㅈ ㅉ ㅊ ㅋ ㅌ ㅍ ㅎ

읽다/읽어요(2)

127 ⓔ 보다

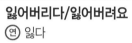

잃어버리다/잃어버려요

128 ⓔ 잃다

입다/입어요(1)

129 ⓑ 벗다 ⓢ 입히다

입다/입어요(2)

130 ⓔ 갈아입다 ⓑ 벗다

입다/입어요(3)

131 ⓑ 벗다

입다/입어요(4)

132 ⓔ 내리다 ⓑ 벗다

133 입다/입어요(5)
반 벗다 사 입히다

134 입다/입어요(6)
반 벗다 사 입히다

135 입히다/입혀요(1)
주 입다

136 입히다/입혀요(2)
주 입다

4

ㄱ ㄲ ㄴ ㄷ ㄸ ㅁ

ㅂ ㅃ ㅅ ㅆ ㅇ ㅈ

ㅉ ㅊ ㅋ ㅌ ㅍ ㅎ

#		#		#		#		#		#	
1	자다(1)	27	자르다(12)	53	잡히다(1)	79	정리하다(3)	105	주무르다(1)	131	지우다(2)
2	자다(2)	28	자르다(13)	54	잡히다(2)	80	정리하다(4)	106	주무르다(2)	132	지우다(3)
3	자다(3)	29	자르다(14)	55	잡히다(3)	81	젓다(1)	107	주문하다(1)	133	지저분하다
4	자다(4)	30	자르다(15)	56	재다(1)	82	젓다(2)	108	주문하다(2)	134	진찰하다
5	자다(5)	31	작다(1)	57	재다(2)	83	젓다(3)	109	주문하다(3)	135	집다(1)
6	자다(6)	32	작다(2)	58	재다(3)	84	조르다	110	주문하다(4)	136	집다(2)
7	자다(7)	33	작다(3)	59	재다(4)	85	조용히 시키다	111	주사 맞다(1)	137	짓다(1)
8	자다(8)	34	작다(4)	60	재다(5)	86	졸다(1)	112	주사 맞다(2)	138	짓다(2)
9	자다(9)	35	작다(5)	61	재다(6)	87	졸다(2)	113	주차하다	139	짖다
10	자다(10)	36	작다(6)	62	재우다(1)	88	좁다	114	죽다	140	짚다
11	자랑하다(1)	37	작다(7)	63	재우다(2)	89	주다(1)	115	줄넘기하다(1)		[그림 4-1] 주다
12	자랑하다(2)	38	잠그다(1)	64	재우다(3)	90	주다(2)	116	줄넘기하다(2)		[그림 4-2] 주다
13	자랑하다(3)	39	잠그다(2)	65	저금하다(1)	91	주다(3)	117	줄넘기하다(3)		
14	자랑하다(4)	40	잠그다(3)	66	저금하다(2)	92	주다(4)	118	줄 서다(1)		
15	자랑하다(5)	41	잠그다(4)	67	적다	93	주다(5)	119	줄 서다(2)		
16	자르다(1)	42	잡다(1)	68	전화하다(1)	94	주다(6)	120	줄 서다(3)		
17	자르다(2)	43	잡다(2)	69	전화하다(2)	95	주다(7)	121	줄 서다(4)		
18	자르다(3)	44	잡다(3)	70	전화하다(3)	96	주다(8)	122	줍다(1)		
19	자르다(4)	45	잡다(4)	71	전화하다(4)	97	주다(9)	123	줍다(2)		
20	자르다(5)	46	잡다(5)	72	젊다	98	주다(10)	124	줍다(3)		
21	자르다(6)	47	잡다(6)	73	접다	99	주다(11)	125	줍다(4)		
22	자르다(7)	48	잡다(7)	74	젓다(1)	100	주다(12)	126	줍다(5)		
23	자르다(8)	49	잡다(8)	75	젓다(2)	101	주다(13)	127	지다		
24	자르다(9)	50	잡다(9)	76	정리시키다	102	주다(14)	128	지다(1)		
25	자르다(10)	51	잡다(10)	77	정리하다(1)	103	주다(15)	129	지다(2)		
26	자르다(11)	52	잡다(11)	78	정리하다(2)	104	주다(16)	130	지우다(1)		

1 자다/자요(1)
(반) 깨다, 일어나다

2 자다/자요(2)
(연) 눕다 (반) 깨다, 일어나다 (사) 재우다

3 자다/자요(3)
(연) 코 골다 (반) 깨다, 일어나다 (사) 재우다

4 자다/자요(4)
(반) 깨다, 일어나다

5 자다/자요(5)
(반) 깨다, 일어나다

6 자다/자요(6)
(반) 깨다, 일어나다 (사) 재우다

자다/자요(7)

7   반 깨다

자다/자요(8)

8   반 깨다

자다/자요(9)

9   반 깨다

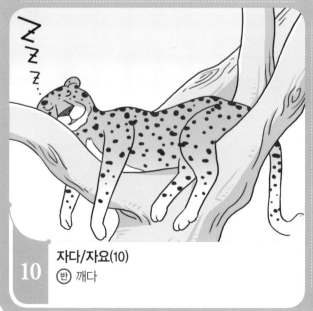

자다/자요(10)

10   반 깨다

자랑하다/자랑해요(1)

11   연 뽐내다

자랑하다/자랑해요(2)

12   연 뽐내다

13 자랑하다/자랑해요(3)
연 뽐내다

14 자랑하다/자랑해요(4)
연 뽐내다

15 자랑하다/자랑해요(5)
연 뽐내다

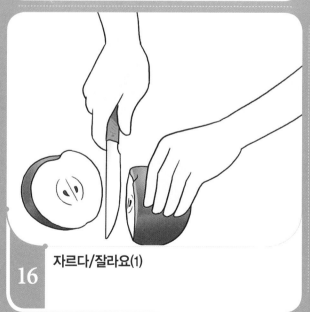

16 자르다/잘라요(1)

17 자르다/잘라요(2)

18 자르다/잘라요(3)
연 썰다

19 자르다/잘라요(4)
연 깎다

20 자르다/잘라요(5)

21 자르다/잘라요(6)

22 자르다/잘라요(7)

23 자르다/잘라요(8)

24 자르다/잘라요(9)
연 오리다

자르다/잘라요(10)

25 연 썰다

자르다/잘라요(11)

26 연 썰다

자르다/잘라요(12)

27 연 베다, 수확하다, 추수하다

자르다/잘라요(13)

28 연 톱질하다

자르다/잘라요(14)

29 연 톱질하다

자르다/잘라요(15)

30 연 톱질하다

31 작다/작아요(1)
(반) 크다

32 작다/작아요(2)
(반) 크다

33 작다/작아요(3)
(반) 크다

34 작다/작아요(4)
(반) 크다

35 작다/작아요(5)
(반) 크다

36 작다/작아요(6)
(반) 크다

37 작다/작아요(7)
반 크다

38 잠그다/잠가요(1)
반 틀다

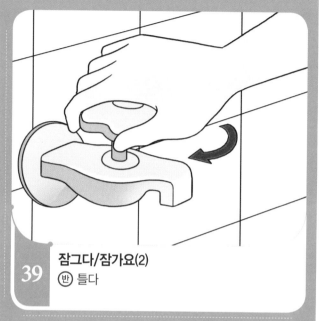

39 잠그다/잠가요(2)
반 틀다

40 잠그다/잠가요(3)
반 열다

41 잠그다/잠가요(4)
반 풀다

42 잡다/잡아요(1)
연 받다 반 던지다

43 잡다/잡아요(2)
　　(반) 던지다

44 잡다/잡아요(3)

45 잡다/잡아요(4)

46 잡다/잡아요(5)

47 잡다/잡아요(6)

48 잡다/잡아요(7)

49 잡다/잡아요(8)
연 낚시하다

50 잡다/잡아요(9)

51 잡다/잡아요(10)
피 잡히다

52 잡다/잡아요(11)
피 잡히다

53 잡히다/잡혀요(1)
능 잡다

54 잡히다/잡혀요(2)
연 체포당하다 능 잡다

ㄱ ㄲ ㄴ ㄷ ㄸ ㅁ ㅂ ㅃ ㅅ ㅆ ㅇ ㅈ ㅉ ㅊ ㅋ ㅌ ㅍ ㅎ

잡히다/잡혀요(3)
55 | 능 잡다

재다/재요(1)
56 | 연 측정하다

재다/재요(2)
57 | 연 측정하다

재다/재요(3)
58 | 연 측정하다

재다/재요(4)
59 | 연 측정하다

재다/재요(5)
60

재다/재요(6)

61

재우다/재워요(1)

62 주 자다

재우다/재워요(2)

63 연 조용히 시키다

재우다/재워요(3)

64 반 깨우다 주 자다

저금하다/저금해요(1)

65 연 모으다, 저축하다

저금하다/저금해요(2)

66 연 넣다, 모으다, 저축하다

67 적다/적어요
(반) 많다

여보세요~

68 전화하다/전화해요(1)
(연) 통화하다

69 전화하다/전화해요(2)
(연) 통화하다

70 전화하다/전화해요(3)
(연) 통화하다

71 전화하다/전화해요(4)
(연) 통화하다

72 젊다/젊어요
(반) 늙다

73 접다/접어요
연 만들다

74 젓다/저어요(1)
연 타다

75 젓다/저어요(2)
연 섞다, 타다

76 정리시키다/정리시켜요
주 정리하다

77 정리하다/정리해요(1)

78 정리하다/정리해요(2)

ㄱ ㄲ ㄴ ㄷ ㄸ ㅁ ㅂ ㅃ ㅅ ㅆ ㅇ ㅈ ㅉ ㅊ ㅋ ㅌ ㅍ ㅎ

79 정리하다/정리해요(3)
사 정리시키다

80 정리하다/정리해요(4)
연 넣다

81 젖다/젖어요(1)
반 마르다

82 젖다/젖어요(2)
연 쏟다, 흘리다

83 젖다/젖어요(3)
반 마르다

84 조르다/졸라요
연 떼쓰다, 보채다

85 조용히 시키다/조용히 시켜요
연 재우다

86 졸다/졸아요 (1)

87 졸다/졸아요 (2)

88 좁다/좁아요
반 넓다

89 주다/줘요 (1)

90 주다/줘요 (2)

91 주다/줘요(3)

92 주다/줘요(4)

93 주다/줘요(5)

94 주다/줘요(6)

95 주다/줘요(7)

96 주다/줘요(8)

ㄱ ㄲ ㄴ ㄷ ㄸ ㅁ ㅂ ㅃ ㅅ ㅆ ㅇ ㅈ ㅉ ㅊ ㅋ ㅌ ㅍ ㅎ

주다/줘요(9)
(반) 받다
97

주다/줘요(10)
(반) 받다
98

주다/줘요(11)
(반) 받다
99

주다/줘요(12)
(반) 받다
100

주다/줘요(13)
(반) 받다
101

주다/줘요(14)
(반) 받다
102

주다/줘요(15)
103 반 받다

주다/줘요(16)
104 반 받다

주무르다/주물러요(1)
105 연 반죽하다

주무르다/주물러요(2)
106 연 안마하다

주문하다/주문해요(1)
107 연 시키다

주문하다/주문해요(2)
108 연 시키다

[그림 4-1] 주다/줘요

ㄱ ㄲ ㄴ ㄷ ㄸ ㅁ ㅂ ㅃ ㅅ ㅆ ㅇ ㅈ ㅉ ㅊ ㅋ ㅌ ㅍ ㅎ

[그림 4-2] **주다/줘요**

ㄱ ㄲ ㄴ ㄷ ㄸ ㅁ ㅂ ㅃ ㅅ ㅆ ㅇ ㅈ ㅉ ㅊ ㅋ ㅌ ㅍ ㅎ

109 주문하다/주문해요(3)
연 시키다

110 주문하다/주문해요(4)
연 시키다, 담다, 클릭하다

111 주사 맞다/주사 맞아요(1)
연 주사 놓다

112 주사 맞다/주사 맞아요(2)
연 주사 놓다

113 주차하다/주차해요
반 빼다

114 죽다/죽어요
연 사망하다

ㄱ ㄲ ㄴ ㄷ ㄸ ㅁ ㅂ ㅃ ㅅ ㅆ ㅇ ㅈ ㅉ ㅊ ㅋ ㄹ ㅌ ㅍ ㅎ

115 줄넘기하다/줄넘기해요(1)

116 줄넘기하다/줄넘기해요(2)

117 줄넘기하다/줄넘기해요(3)

118 줄 서다/줄 서요(1)
ⓔ 기다리다

119 줄 서다/줄 서요(2)
ⓔ 기다리다

120 줄 서다/줄 서요(3)
ⓔ 기다리다

121 줄 서다/줄 서요(4)
연 기다리다

122 줍다/주워요(1)

123 줍다/주워요(2)
반 버리다

124 줍다/주워요(3)

125 줍다/주워요(4)

126 줍다/주워요(5)

ㄱ ㄲ ㄴ ㄷ ㄸ ㅁ ㅂ ㅃ ㅅ ㅆ ㅇ ㅈ ㅉ ㅊ ㅋ ㅌ ㅍ ㅎ

지다/져요
127 반 뜨다

지다/져요(1)
128 반 이기다

지다/져요(2)
129 반 이기다

지우다/지워요(1)
130 반 낙서하다, 쓰다

지우다/지워요(2)
131 반 쓰다

지우다/지워요(3)
132 반 낙서하다

ㄱ ㄲ ㄴ ㄷ ㄸ ㅁ ㅂ ㅃ ㅅ ㅆ ㅇ ㅈ ㅉ ㅊ ㅋ ㅌ ㅍ ㅎ

지저분하다/지저분해요

133 연 어지르다 반 정리하다

진찰하다/진찰해요

134

집다/집어요(1)

135

집다/집어요(2)

136

짓다/지어요(1)

137 연 건축하다

짓다/지어요(2)

138 연 만들다

ㄱ ㄲ ㄴ ㄷ ㄹ ㅁ ㅂ ㅃ ㅅ ㅆ ㅇ ㅈ ㅉ ㅊ ㅋ ㅌ ㅍ ㅎ

139 짖다/짖어요

140 짚다/짚어요

5

ㄱ ㄲ ㄴ ㄷ ㄸ ㅁ

ㅃ

ㅂ ㅃ ㅅ ㅆ ㅇ ㅈ

ㅉ

ㅊ ㅋ ㅌ ㅍ ㅎ

1	짜다(1)	27	찍다(4)
2	짜다(2)	28	찍다(1)
3	짜다(3)	29	찍다(2)
4	짜다	30	찍다
5	짧다(1)	31	찢다(1)
6	짧다(2)	32	찢다(2)
7	짧다(3)	33	찢다(3)
8	짧다(4)	34	찢다(4)
9	짧다(5)	35	찢다(5)
10	짧다(6)	36	찢어지다(1)
11	쫓다(1)	37	찢어지다(2)
12	쫓다(2)	38	찢어지다(3)
13	쫓다(3)		
14	쫓다(4)		
15	쫓다(5)		
16	쫓다(6)		
17	쬐다(1)		
18	쬐다(2)		
19	쬐다(3)		
20	쬐다(4)		
21	찌다(1)		
22	찌다(2)		
23	찍다		
24	찍다(1)		
25	찍다(2)		
26	찍다(3)		

ㅉ

1	짜다/짜요(1)
2	짜다/짜요(2)
3	짜다/짜요(3)
4	짜다/짜요
5	짧다/짧아요(1) (반) 길다
6	짧다/짧아요(2) (반) 길다

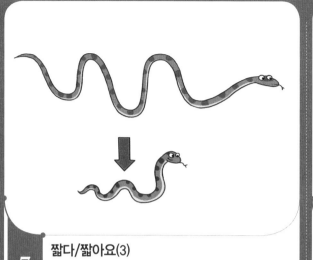

7 짧다/짧아요(3)
반 길다

8 짧다/짧아요(4)
연 자르다 반 길다

9 짧다/짧아요(5)
연 깎다 반 길다

10 짧다/짧아요(6)
반 길다

11 쫓다/쫓아요(1)
피 쫓기다

12 쫓다/쫓아요(2)
피 쫓기다

ㄱ ㄲ ㄴ ㄷ ㄹ ㅁ ㅂ ㅃ ㅅ ㅆ ㅇ ㅈ **ㅉ** ㅊ ㅋ ㅌ ㅍ ㅎ

13 쫓다/쫓아요(3) 피 쫓기다	14 쫓다/쫓아요(4) 피 쫓기다	15 쫓다/쫓아요(5) 피 쫓기다
16 쫓다/쫓아요(6) 피 쫓기다	17 쬐다/쬐요(1) 연 따뜻하다	18 쬐다/쬐요(2) 연 따뜻하다

ㄱ ㄲ ㄴ ㄷ ㄸ ㅁ ㅂ ㅃ ㅅ ㅆ ㅇ ㅈ **ㅉ** ㅊ ㅋ ㅌ ㅍ ㅎ

19 쬐다/쬐요(3)
영 따뜻하다

20 쬐다/쬐요(4)
영 따뜻하다

21 찌다/쪄요(1)
영 따끈하다

22 찌다/쪄요(2)

23 찍다/찍어요

24 찍다/찍어요(1)
피 찍히다

ㄱ ㄲ ㄴ ㄷ ㄹ ㅁ ㅂ ㅅ ㅆ ㅇ ㅈ ㅉ ㅊ ㅋ ㅌ ㅍ ㅎ

25 찍다/찍어요(2)
피 찍히다

26 찍다/찍어요(3)
피 찍히다

27 찍다/찍어요(4)

28 찍다/찍어요(1)

29 찍다/찍어요(2)

30 찍다/찍어요
연 대다

31 찢다/찢어요(1)

32 찢다/찢어요(2)

33 찢다/찢어요(3)

34 찢다/찢어요(4)

35 찢다/찢어요(5)

36 찢어지다/찢어져요(1)

37 찢어지다/찢어져요(2)

38 찢어지다/찢어져요(3)
ⓔ 걸리다

ㅉ

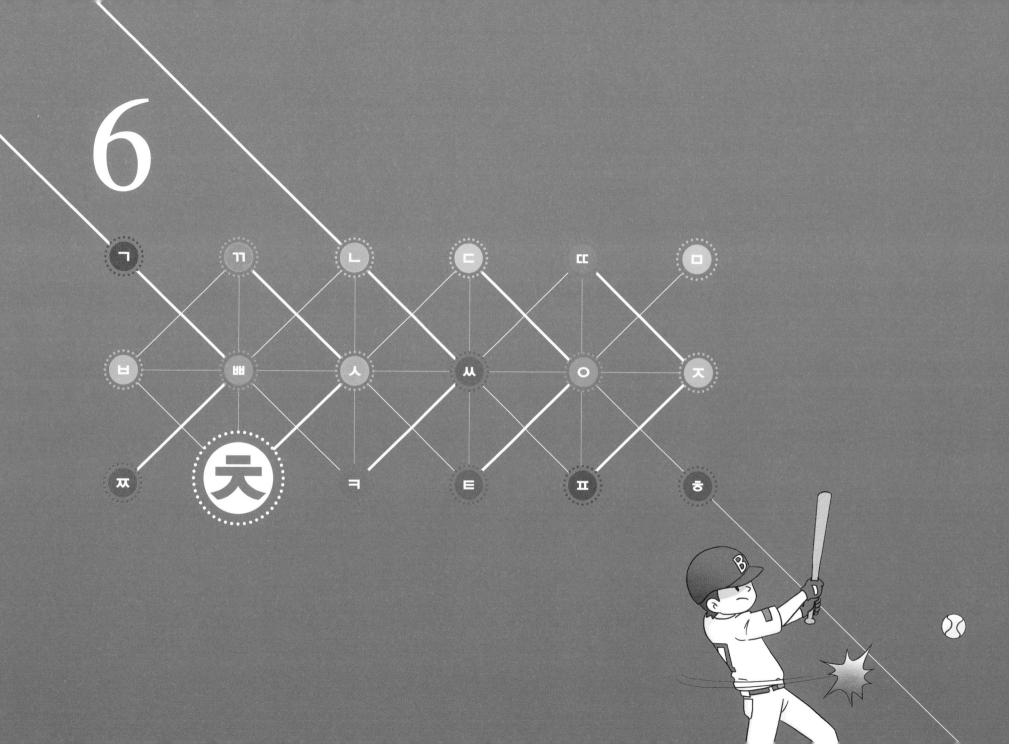

6

ㅊ

1	차갑다(1)	27	청소하다(5)	53	치다(13)
2	차갑다(2)	28	축구 하다	54	치다
3	차다(1)	29	축하하다(1)	55	치다
4	차다(2)	30	축하하다(2)	56	치다
5	차다(3)	31	춤추다(1)	57	치다
6	차다(4)	32	춤추다(2)	58	친하다
7	차다(5)	33	춤추다(3)	59	칠하다(1)
8	차다(6)	34	춤추다(4)	60	칠하다(2)
9	차다(7)	35	춤추다(5)	61	칠하다(3)
10	차다	36	춥다(1)	62	칠하다(4)
11	차리다	37	춥다(2)	63	칠하다(5)
12	참다(1)	38	춥다(3)	64	칭찬하다(1)
13	참다(2)	39	춥다(4)	65	칭찬하다(2)
14	찾다(1)	40	충전하다	66	칭찬하다(3)
15	찾다(2)	41	치다(1)		
16	찾다(3)	42	치다(2)		
17	찾다(4)	43	치다(3)		
18	찾다(5)	44	치다(4)		
19	찾다(6)	45	치다(5)		
20	찾다(7)	46	치다(6)		
21	채우다	47	치다(7)		
22	청소시키다	48	치다(8)		
23	청소하다(1)	49	치다(9)		
24	청소하다(2)	50	치다(10)		
25	청소하다(3)	51	치다(11)		
26	청소하다(4)	52	치다(12)		

1 차갑다/차가워요(1)
    ⑪ 뜨겁다

2 차갑다/차가워요(2)
    ⑪ 뜨겁다

3 차다/차요(1)
    ⑭ 축구 하다

4 차다/차요(2)

5 차다/차요(3)

6 차다/차요(4)
    ⑭ 차이다

ㄱ ㄲ ㄴ ㄷ ㄹ ㅁ ㅂ ㅃ ㅅ ㅆ ㅇ ㅈ ㅉ ㅊ ㅋ ㅌ ㅍ ㅎ

7 차다/차요(5)
피 차이다

8 차다/차요(6)
피 차이다

9 차다/차요(7)
피 차이다

10 차다/차요
반 풀다

11 차리다/차려요

12 참다/참아요(1)
연 주사 맞다

13 참다/참아요(2)
연 (오줌) 마렵다

14 찾다/찾아요(1)
연 감추다, 숨기다, 잃어버리다

15 찾다/찾아요(2)
연 잃어버리다

16 찾다/찾아요(3)
연 감추다, 숨기다, 잃어버리다

17 찾다/찾아요(4)
반 숨다

18 찾다/찾아요(5)

19 찾다/찾아요(6)
연 잃어버리다

20 찾다/찾아요(7)
연 출금하다

21 채우다/채워요
연 잠그다 반 풀다

22 청소시키다/청소시켜요
연 쓸다

23 청소하다/청소해요(1)
연 밀다, 청소기 돌리다

24 청소하다/청소해요(2)
연 걸레질하다

25 청소하다/청소해요(3)
연 걸레질하다, 밀다

26 청소하다/청소해요(4)
연 쓸다 사 청소시키다

27 청소하다/청소해요(5)
연 쓸다

28 축구 하다/축구 해요
연 차다

29 축하하다/축하해요(1)
연 생일파티 하다

30 축하하다/축하해요(2)
연 생일파티 하다

31 춤추다/춤춰요(1)

32 춤추다/춤춰요(2)
연 무용하다, 발레 하다

33 춤추다/춤춰요(3)
연 무용하다, 부채춤 추다

34 춤추다/춤춰요(4)

35 춤추다/춤춰요(5)

36 춥다/추워요(1)
연 쌀쌀하다 반 덥다

ㄱ ㄲ ㄴ ㄷ ㄸ ㅁ ㅂ ㅃ ㅅ ㅆ ㅇ ㅈ ㅉ ㅊ ㅋ ㅌ ㅍ ㅎ

37 춥다/추워요(2)
연 떨다 반 덥다

38 춥다/추워요(3)
연 떨다 반 덥다

39 춥다/추워요(4)
연 떨다 반 덥다

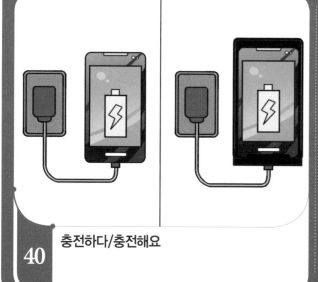

40 충전하다/충전해요

41 치다/쳐요(1)
연 탁구 치다

42 치다/쳐요(2)
연 야구 하다

ㄱ ㄲ ㄴ ㄷ ㄹ ㅁ ㅂ ㅃ ㅅ ㅆ ㅇ ㅈ ㅉ **ㅊ** ㅋ ㅌ ㅍ ㅎ

치다/쳐요(3)
43 ⑩ 골프 치다, 골프 하다

치다/쳐요(4)
44 ⑩ 볼링 치다, 볼링 하다

치다/쳐요(5)
45 ⑩ 배드민턴 치다

치다/쳐요(6)
46 ⑩ 돌리다

치다/쳐요(7)
47

치다/쳐요(8)
48 ⑩ 연주하다

치다/쳐요(9)
49 연 연주하다

치다/쳐요(10)
50 연 연주하다

치다/쳐요(11)
51 연 연주하다

치다/쳐요(12)
52 연 연주하다

치다/쳐요(13)
53 연 연주하다

치다/쳐요
54 연 뿌리다, 후라이하다

ㄱ ㄲ ㄴ ㄷ ㄸ ㅁ ㅂ ㅃ ㅅ ㅆ ㅇ ㅈ ㅉ **ㅊ** ㅋ ㅌ ㅍ ㅎ

치다/쳐요

55 　연 걷다, 닫다

치다/쳐요

56 　연 부딪치다, 사고 나다 　피 치이다

치다/쳐요

57 　연 텐트 치다

친하다/친해요

58 　연 어깨동무하다

칠하다/칠해요(1)

59 　연 붙이다

칠하다/칠해요(2)

60 　연 그리다

61 칠하다/칠해요(3)

62 칠하다/칠해요(4)

63 칠하다/칠해요(5)
연 바르다

64 칭찬하다/칭찬해요(1)

65 칭찬하다/칭찬해요(2)

66 칭찬하다/칭찬해요(3)

교무실

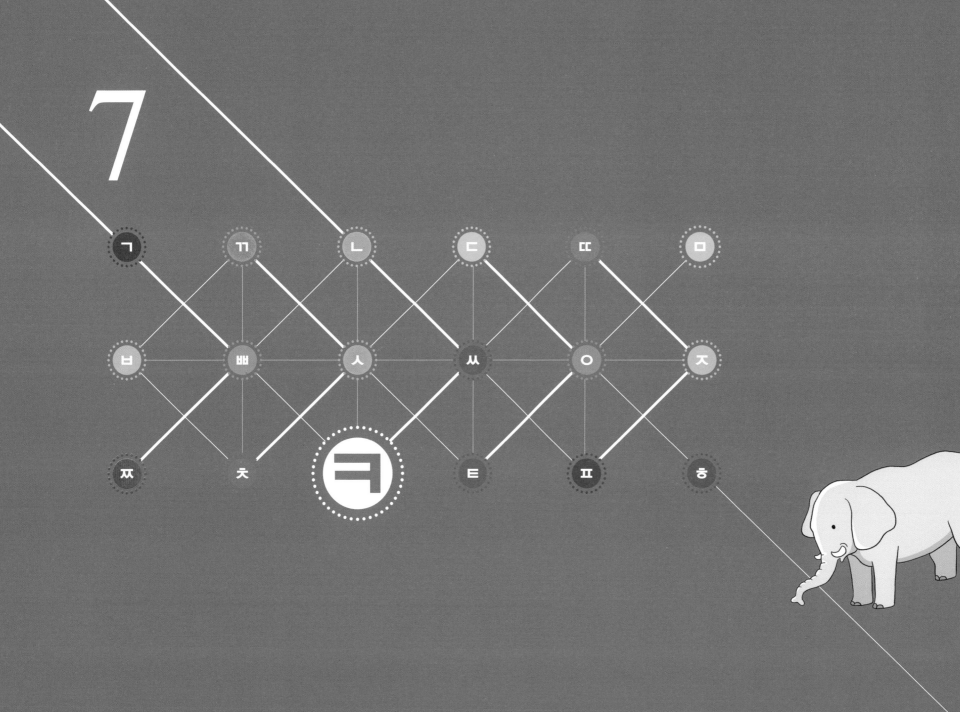

	ㅋ
1	캐다(1)
2	캐다(2)
3	켜다(1)
4	켜다(2)
5	켜다(3)
6	켜다(4)
7	켜다(5)
8	켜다
9	코 골다
10	코 나오다(1)
11	코 나오다(2)
12	코 풀다
13	코피 나다
14	크다(1)
15	크다(2)
16	크다(3)
17	크다(4)
18	크다(5)
19	크다(6)
20	크다(7)
21	크다(1)
22	크다(2)

1 캐다/캐요(1)

2 캐다/캐요(2)

3 켜다/켜요(1)
연 밝다, 환하다 반 끄다

4 켜다/켜요(2)
연 틀다 반 끄다

5 켜다/켜요(3)
반 끄다

6 켜다/켜요(4)
반 끄다

ㄱ ㄲ ㄴ ㄷ ㄸ ㅁ ㅂ ㅃ ㅅ ㅆ ㅇ ㅈ ㅉ ㅊ ㅋ ㅌ ㅍ ㅎ

7 켜다/켜요(5)
반 끄다

8 켜다/켜요
연 깨다, 일어나다

9 코 골다/코 골아요
연 자다

10 코 나오다/코 나와요(1)

11 코 나오다/코 나와요(2)

12 코 풀다/코 풀어요

13 코피 나다/코피 나요

14 크다/커요(1)
(반) 작다

15 크다/커요(2)
(반) 작다

16 크다/커요(3)
(반) 작다

17 크다/커요(4)
(반) 작다

18 크다/커요(5)
(반) 작다

ㄱ ㄲ ㄴ ㄷ ㄸ ㅁ ㅂ ㅃ ㅅ ㅆ ㅇ ㅈ ㅉ ㅊ ㅋ ㅌ ㅍ ㅎ

19 크다/커요(6)
반 작다

20 크다/커요(7)
연 시끄럽다 반 작다

21 크다/커요(1)
연 자라다

22 크다/커요(2)
연 자라다

ㄱ ㄲ ㄴ ㄷ ㄸ ㅁ ㅂ ㅃ ㅅ ㅆ ㅇ ㅈ ㅉ ㅊ **ㅋ** ㅌ ㅍ ㅎ

8

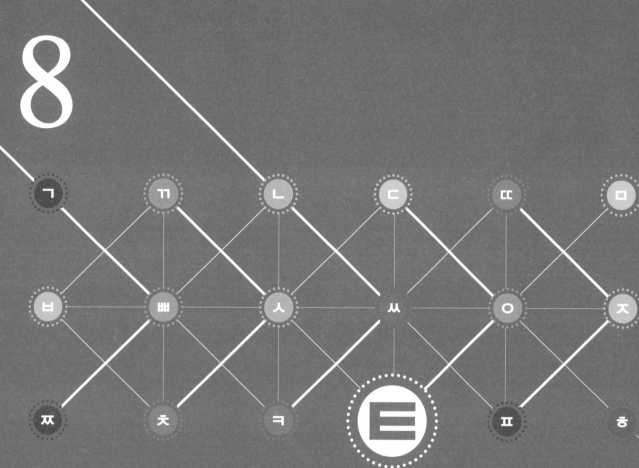

1	타다(1)	27	타다(27)	53	튀기다
2	타다(2)	28	타다(28)	54	팅기다
3	타다(3)	29	타다	55	틀다(1)
4	타다(4)	30	타다	56	틀다(2)
5	타다(5)	31	탁구 하다	57	틀다(3)
6	타다(6)	32	태권도 하다(1)		[그림 8-1] 타다
7	타다(7)	33	태권도 하다(2)		[그림 8-2] 타다
8	타다(8)	34	태우다(1)		
9	타다(9)	35	태우다(2)		
10	타다(10)	36	태우다(3)		
11	타다(11)	37	태우다(4)		
12	타다(12)	38	태우다(5)		
13	타다(13)	39	태우다(6)		
14	타다(14)	40	태우다(7)		
15	타다(15)	41	터지다(1)		
16	타다(16)	42	터지다(2)		
17	타다(17)	43	털다(1)		
18	타다(18)	44	털다(2)		
19	타다(19)	45	텐트 치다		
20	타다(20)	46	토하다		
21	타다(21)	47	톱질하다(1)		
22	타다(22)	48	톱질하다(2)		
23	타다(23)	49	톱질하다(3)		
24	타다(24)	50	통화하다		
25	타다(25)	51	퇴근하다		
26	타다(26)	52	튀기다		

타다/타요(1)
1 (반) 내리다

타다/타요(2)
2 (반) 내리다

타다/타요(3)
3 (반) 내리다

타다/타요(4)
4 (반) 내리다

타다/타요(5)
5 (반) 내리다

타다/타요(6)
6 (반) 내리다

7 타다/타요(7)
연 대다, 찍다 반 내리다

8 타다/타요(8)
반 내리다

9 타다/타요(9)
반 내리다

10 타다/타요(10)
반 내리다

11 타다/타요(11)

12 타다/타요(12)

ㄱ ㄲ ㄴ ㄷ ㄸ ㅁ ㅂ ㅃ ㅅ ㅆ ㅇ ㅈ ㅉ ㅊ ㅋ ㅌ ㅍ ㅎ

13 타다/타요(13)

14 타다/타요(14)

15 타다/타요(15)

16 타다/타요(16)

17 타다/타요(17)
㉰ 승마하다

18 타다/타요(18)
㉰ 스케이트 타다

ㄱ ㄲ ㄴ ㄷ ㄸ ㅁ ㅂ ㅃ ㅅ ㅆ ㅇ ㅈ ㅉ ㅊ ㅋ ㅌ ㅍ ㅎ

타다/타요(19)

19

타다/타요(20)

20

타다/타요(21)
연 스키 타다

21

타다/타요(22)
연 인라인스케이트 타다

22

타다/타요(23)

23

타다/타요(24)
연 스노보드 타다

24

25 타다/타요(25)
반 내리다 사 태우다

26 타다/타요(26)

27 타다/타요(27)
연 올라가다

28 타다/타요(28)
반 내리다

29 타다/타요

30 타다/타요
연 섞다, 젓다

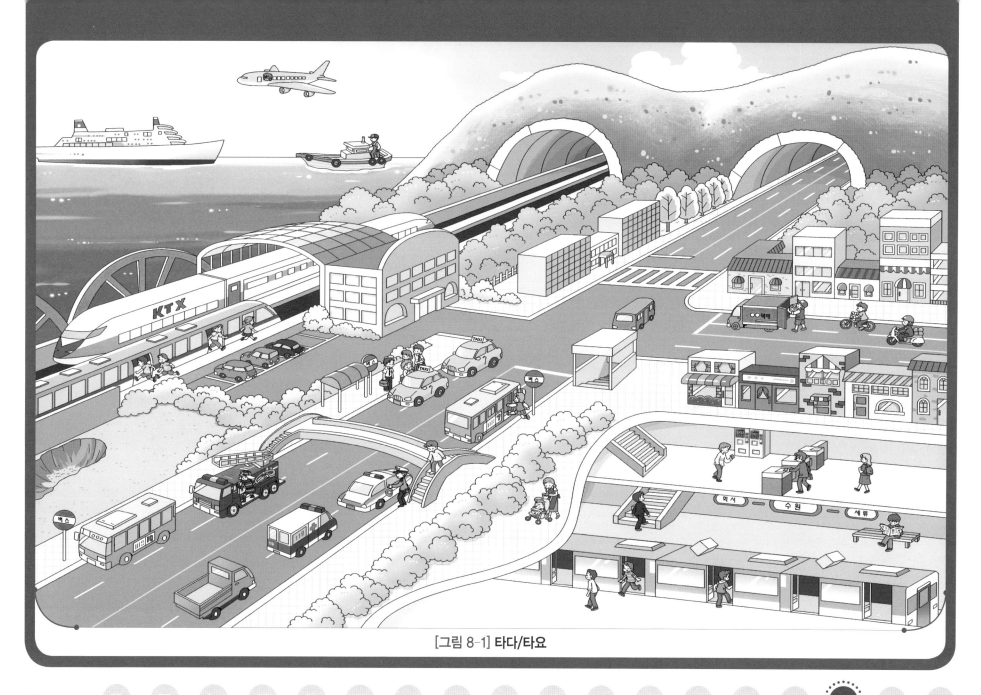

[그림 8-1] 타다/타요

[그림 8-2] **타다/타요**

ㄱ ㄲ ㄴ ㄷ ㄸ ㅁ ㅂ ㅃ ㅅ ㅆ ㅇ ㅈ ㅉ ㅊ ㅋ ㅌ ㅍ ㅎ

31 탁구 하다/탁구 해요
상 탁구 치다

32 태권도 하다/태권도 해요(1)

33 태권도 하다/태권도 해요(2)

34 태우다/태워요(1)
연 태워 주다 주 타다

35 태우다/태워요(2)
주 타다

36 태우다/태워요(3)

37 태우다/태워요(4)

38 태우다/태워요(5)

39 태우다/태워요(6)

40 태우다/태워요(7)

41 터지다/터져요(1)
반 불다

42 터지다/터져요(2)
연 폭발하다

43 털다/털어요(1)

44 털다/털어요(2)

45 텐트 치다/텐트 쳐요

옌 캠핑하다

46 토하다/토해요

47 톱질하다/톱질해요(1)

옌 자르다

48 톱질하다/톱질해요(2)

옌 베다, 자르다

ㄱ ㄲ ㄴ ㄷ ㄸ ㅁ ㅂ ㅃ ㅅ ㅆ ㅇ ㅈ ㅉ ㅊ ㅋ **ㅌ** ㅍ ㅎ

49 톱질하다/톱질해요(3)
연 자르다

50 통화하다/통화해요
연 전화하다

51 퇴근하다/퇴근해요
반 출근하다

52 튀기다/튀겨요

53 튀기다/튀겨요

54 튕기다/튕겨요
연 농구 하다, 튀기다

틀다/틀어요(1)
55 ⑭ 켜다 ㉫ 끄다

틀다/틀어요(2)
56 ⑭ 켜다 ㉫ 끄다

틀다/틀어요(3)
57 ⑭ 잠그다

9

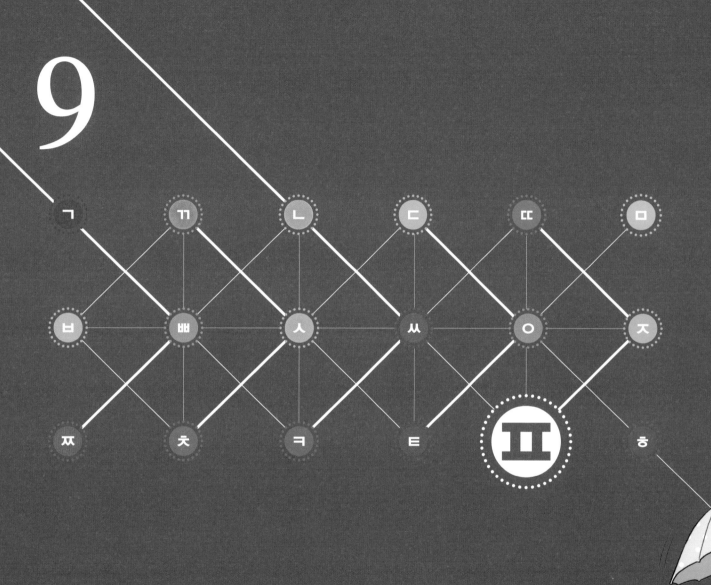

1	파다(1)	27	피 나다(3)
2	파다(2)	28	피다
3	파다(3)	29	피우다
4	파마하다	30	피우다
5	팔다(1)	31	피하다
6	팔다(2)		
7	팔다(3)		
8	팔다(4)		
9	팔리다		
10	펄럭거리다		
11	펴다(1)		
12	펴다(2)		
13	펴다(3)		
14	펴다(4)		
15	포장하다		
16	푸다		
17	풀다		
18	풀다(1)		
19	풀다(2)		
20	풀다(3)		
21	풀다		
22	풀칠하다		
23	품다		
24	피곤하다		
25	피 나다(1)		
26	피 나다(2)		

1 파다/파요(1)
연 후비다

2 파다/파요(2)
연 후비다

3 파다/파요(3)
연 삽질하다

4 파마하다/파마해요

5 팔다/팔아요(1)
반 사다

6 팔다/팔아요(2)
반 사다

슈퍼마켓

솜사탕

7 팔다/팔아요(3)
⑩ 사다

8 팔다/팔아요(4)
⑩ 장사하다, 판매하다 ⑩ 팔리다

9 팔리다/팔려요
⑩ 팔다

10 펄럭거리다/펄럭거려요

11 펴다/펴요(1)
⑩ 접다

12 펴다/펴요(2)

13 펴다/펴요(3)
연 깔다 반 개다

14 펴다/펴요(4)

15 포장하다/포장해요
연 싸다

16 푸다/퍼요

17 풀다/풀어요
연 코 풀다

18 풀다/풀어요(1)
반 매다, 묶다

ㅍ

19 풀다/풀어요(2)
(반) 감다, 두르다

20 풀다/풀어요(3)
(반) 매다

21 풀다/풀어요

22 풀칠하다/풀칠해요
(연) 붙이다

23 품다/품어요

24 피곤하다/피곤해요
(연) 지치다, 힘들다

ㄱ ㄲ ㄴ ㄷ ㄸ ㅁ ㅂ ㅃ ㅅ ㅆ ㅇ ㅈ ㅉ ㅊ ㅋ ㅌ ㅍ ㅎ

피 나다/피 나요(1)
25

피 나다/피 나요(2)
26 ⑲ 베다

피 나다/피 나요(3)
27 ⑲ 코피 나다

피다/펴요
28 ⑲ 싱싱하다 ⑳ 지다

피우다/피워요
29

피우다/피워요
30

피하다/피해요

31 연 번개 치다, 비 오다

ㄱ ㄲ ㄴ ㄷ ㄸ ㅁ ㅂ ㅃ ㅅ ㅆ ㅇ ㅈ ㅉ ㅊ ㅋ ㅌ ㅍ ㅎ

10

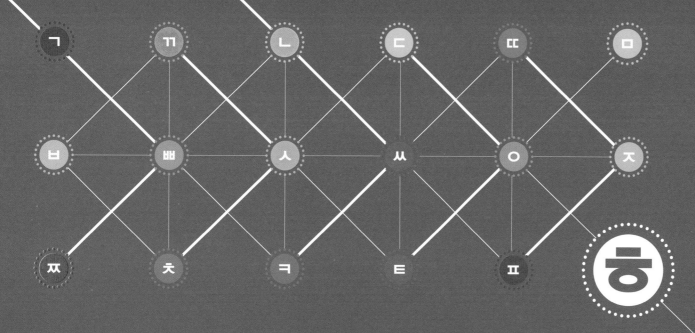

ㅎ

1	하품하다(1)	27	화장하다(1)	53	흘리다(2)
2	하품하다(2)	28	화장하다(2)	54	흘리다(3)
3	하품하다(3)	29	화장하다(3)	55	흘리다(4)
4	할퀴다(1)	30	후라이하다	56	흘리다(5)
5	할퀴다(2)	31	훈련시키다(1)	57	힘들다(1)
6	핥다(1)	32	훈련시키다(2)	58	힘들다(2)
7	핥다(2)	33	훈련하다	59	힘들다(3)
8	핥다(3)	34	훔치다(1)	60	힘주다
9	핥다(4)	35	훔치다(2)		
10	핥다(5)	36	흐르다(1)		
11	헤어지다(1)	37	흐르다(2)		
12	헤어지다(2)	38	흐르다(3)		
13	헤어지다(3)	39	흐르다(4)		
14	헤엄치다(1)	40	흐리다		
15	헤엄치다(2)	41	흔들다(1)		
16	헤엄치다(3)	42	흔들다(2)		
17	헤엄치다(4)	43	흔들다(3)		
18	헹구다	44	흔들다(4)		
19	혼나다(1)	45	흔들다(5)		
20	혼나다(2)	46	흔들다(6)		
21	혼나다(3)	47	흔들다(7)		
22	혼나다(4)	48	흔들다(8)		
23	혼나다(5)	49	흔들다(9)		
24	혼나다(6)	50	흔들다(10)		
25	혼나다(7)	51	흘기다		
26	화나다	52	흘리다(1)		

1 하품하다/하품해요(1)
연 졸리다

2 하품하다/하품해요(2)
연 졸리다

3 하품하다/하품해요(3)
연 졸리다

4 할퀴다/할퀴어요(1)

5 할퀴다/할퀴어요(2)

6 핥다/핥아요(1)

ㄱ ㄲ ㄴ ㄷ ㄸ ㄹ ㅁ ㅂ ㅃ ㅅ ㅆ ㅇ ㅈ ㅉ ㅊ ㅋ ㅌ ㅍ

ㅎ

7 핥다/핥아요(2)

8 핥다/핥아요(3)

9 핥다/핥아요(4)

10 핥다/핥아요(5)

11 헤어지다/헤어져요(1)
반 만나다

12 헤어지다/헤어져요(2)
반 만나다

ㄱ ㄲ ㄴ ㄷ ㄹ ㅁ ㅂ ㅃ ㅅ ㅆ ㅇ ㅈ ㅉ ㅊ ㅋ ㅌ ㅍ

ㅎ

13 헤어지다/헤어져요(3)
연 배웅하다 반 만나다

14 헤엄치다/헤엄쳐요(1)
연 수영하다

15 헤엄치다/헤엄쳐요(2)
연 물놀이하다, 수영하다, 튜브 타다

16 헤엄치다/헤엄쳐요(3)

17 헤엄치다/헤엄쳐요(4)

18 헹구다/헹궈요
연 양치하다

19 혼나다/혼나요(1) 연 야단맞다, 혼내다

20 혼나다/혼나요(2) 연 야단맞다, 혼내다

21 혼나다/혼나요(3) 연 야단맞다, 혼내다

22 혼나다/혼나요(4) 연 야단맞다, 혼내다

23 혼나다/혼나요(5) 연 야단맞다, 혼내다

24 혼나다/혼나요(6) 연 야단맞다, 혼내다

ㄱ ㄲ ㄴ ㄷ ㄸ ㅁ ㅂ ㅃ ㅅ ㅆ ㅇ ㅈ ㅉ ㅊ ㅋ ㅌ ㅍ ㅎ

25 혼나다/혼나요(7)
　⑲ 야단맞다, 혼내다

26 화나다/화내요
　⑲ 뿔나다

27 화장하다/화장해요(1)
　⑲ 바르다

28 화장하다/화장해요(2)
　⑲ 바르다

29 화장하다/화장해요(3)
　⑲ 바르다

30 후라이하다/후라이해요
　㉪ 프라이하다

31 훈련시키다/훈련시켜요(1)
연 연습시키다

32 훈련시키다/훈련시켜요(2)
연 연습시키다 주 훈련하다

33 훈련하다/훈련해요
연 연습시키다 사 훈련시키다

34 훔치다/훔쳐요(1)
연 도둑질하다

35 훔치다/훔쳐요(2)
연 도둑질하다

36 흐르다/흘러요(1)

ㄱ ㄲ ㄴ ㄷ ㄸ ㅁ ㅂ ㅃ ㅅ ㅆ ㅇ ㅈ ㅉ ㅊ ㅋ ㅌ ㅍ ㅎ

37 흐르다/흘러요(2)
연 넘치다

38 흐르다/흘러요(3)
연 넘치다

39 흐르다/흘러요(4)
연 넘치다

40 흐리다/흐려요
반 맑다

41 흔들다/흔들어요(1)

42 흔들다/흔들어요(2)
연 헤어지다

ㄱ ㄲ ㄴ ㄷ ㄸ ㅁ ㅂ ㅃ ㅅ ㅆ ㅇ ㅈ ㅉ ㅊ ㅋ ㅌ ㅍ ㅎ

43 흔들다/흔들어요(3)

44 흔들다/흔들어요(4)

45 흔들다/흔들어요(5)

46 흔들다/흔들어요(6)

47 흔들다/흔들어요(7)
연 배웅하다

48 흔들다/흔들어요(8)
연 배웅하다

ㄱ ㄲ ㄴ ㄷ ㄸ ㅁ ㅂ ㅃ ㅅ ㅆ ㅇ ㅈ ㅉ ㅊ ㅋ ㅌ ㅍ ㅎ

49 흔들다/흔들어요(9)
연 떨어지다

50 흔들다/흔들어요(10)

51 흘기다/흘겨요
연 노려보다, 째려보다

52 흘리다/흘려요(1)
연 코 나오다

53 흘리다/흘려요(2)

54 흘리다/흘려요(3)
연 울다

ㅎ

55 흘리다/흘려요(4)
(연) 어지르다

56 흘리다/흘려요(5)
(연) 쏟다

57 힘들다/힘들어요(1)
(연) 지치다

58 힘들다/힘들어요(2)
(연) 피곤하다

59 힘들다/힘들어요(3)
(연) 피곤하다

60 힘주다/힘줘요
(연) 똥 누다

ㄲ ㄸ ㄴ ㄷ ㄸ ㅁ ㅂ ㅃ ㅅ ㅆ ㅇ ㅈ ㅉ ㅊ ㅋ ㅌ ㅍ ㅎ

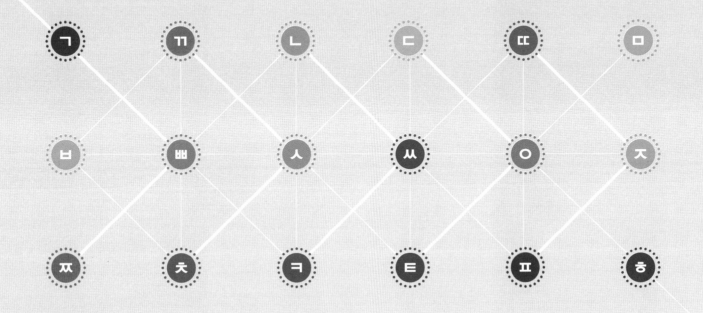

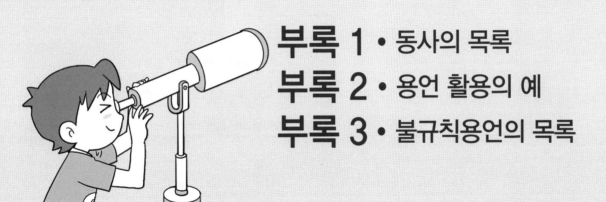

동사의 목록

ㅅ

#	동사	#	동사	#	동사	#	동사
1	사고 나다(1)	27	설거지시키다	53	숨다(3)	79	싱싱하다
2	사고 나다(2)	28	설거지하다(1)	54	숨다(4)		[그림 1-1] 사다
3	사다(1)	29	설거지하다(2)	55	숨 쉬다(1)		
4	사다(2)	30	세다(1)	56	숨 쉬다(2)		
5	사다(3)	31	세다(1)	57	쉬다		
6	사다(4)	32	세다(3)	58	스노보드 타다		
7	사다(5)	33	세다	59	스케이트 타다		
8	사다(6)	34	세다(2)	60	스키 타다		
9	사다(7)	35	세배하다	61	시끄럽다		
10	사다(8)	36	세수시키다(1)	62	시들다		
11	사다(9)	37	세수시키다(2)	63	시원하다		
12	사다(10)	38	세수하다(1)	64	식히다(1)		
13	산책하다	39	세수하다(2)	65	식히다(2)		
14	샤워하다(1)	40	세우다	66	신기다		
15	샤워하다(2)	41	세우다	67	신다(1)		
16	서다(1)	42	세차하다	68	신다(2)		
17	서다(2)	43	소리치다	69	신다(3)		
18	서다(3)	44	소풍 가다	70	신다(4)		
19	서다(1)	45	손들다	71	싣다		
20	서다	46	수영하다(1)	72	심다(1)		
21	서다(3)	47	수영하다(2)	73	심다(2)		
22	서다	48	수영하다(3)	74	심부름시키다(1)		
23	서다(5)	49	숨기다(1)	75	심부름시키다(2)		
24	섞다(1)	50	숨기다(2)	76	심부름시키다(3)		
25	섞다(2)	51	숨다(1)	77	심부름하다		
26	섞다(3)	52	숨다(2)	78	심심하다		

ㅆ

#	동사	#	동사	#	동사
1	싸다(1)	27	쓰다(1)	53	씩씩하다(3)
2	싸다(2)	28	쓰다(2)	54	씹다(1)
3	싸다(1)	29	쓰다(1)	55	씹다(2)
4	싸다(2)	30	쓰다(2)	56	씻다(1)
5	싸다(3)	31	쓰다(3)	57	씻다(2)
6	싸우다(1)	32	쓰다(4)	58	씻다(3)
7	싸우다(2)	33	쓰다(5)		
8	싸우다(3)	34	쓰다(6)		
9	쌓다(1)	35	쓰다(7)		
10	쌓다(2)	36	쓰다(8)		
11	쌓다(3)	37	쓰다듬다(1)		
12	썩다(1)	38	쓰다듬다(2)		
13	썩다(2)	39	쓰다듬다(3)		
14	썰다(1)	40	쓰다듬다(4)		
15	썰다(2)	41	쓰다듬다(5)		
16	쏘다(1)	42	쓰러지다		
17	쏘다(2)	43	쓸다(1)		
18	쏘다(3)	44	쓸다(2)		
19	쏘다(4)	45	씌우다(1)		
20	쏘다(5)	46	씌우다(2)		
21	쏘이다	47	씌우다(3)		
22	쏟다(1)	48	씌우다(4)		
23	쏟다(2)	49	씨름하다(1)		
24	쏟다(3)	50	씨름하다(2)		
25	쏟다(4)	51	씩씩하다(1)		
26	쓰다	52	씩씩하다(2)		

ㅇ

#	동사	#	동사	#	동사	#	동사	#	동사	#	동사
1	아프다(1)	27	야구 하다(2)	53	엎지르다(2)	79	올라가다(1)	105	웃기다	131	입다(3)
2	아프다(2)	28	야구 하다(3)	54	연기 나다(1)	80	올라가다(2)	106	웃다(1)	132	입다(4)
3	아프다(3)	29	약속하다	55	연기 나다(2)	81	올라가다(3)	107	웃다(2)	133	입다(5)
4	아프다(4)	30	약하다	56	연습시키다(1)	82	올라가다(4)	108	웃다(3)	134	입다(6)
5	아프다(5)	31	얇다	57	연습시키다(2)	83	올라가다(5)	109	웃다(4)	135	입히다(1)
6	아프다(6)	32	양궁 하다	58	연습하다(1)	84	올라가다(6)	110	웃다(5)	136	입히다(2)
7	아프다(7)	33	양보하다	59	연습하다(2)	85	올라가다(7)	111	웃다(6)		[그림 3-1] 아프다
8	아프다(8)	34	얕다	60	연주하다(1)	86	올라가다(8)	112	윷놀이하다		
9	아프다(9)	35	어깨동무하다	61	연주하다(2)	87	올라가다(9)	113	이기다(1)		
10	아프다(10)	36	어둡다(1)	62	연주하다(3)	88	올라가다(10)	114	이기다(2)		
11	악수하다	37	어둡다(2)	63	열다(1)	89	올리다(1)	115	이기다(3)		
12	안기다	38	어지럽다	64	열다(2)	90	올리다(2)	116	이사하다		
13	안다(1)	39	어지르다	65	열다(3)	91	올리다(3)	117	인라인스케이트 타다		
14	안다(2)	40	없다	66	열다(4)	92	외우다	118	인사하다(1)		
15	안다(3)	41	없다(2)	67	열다(5)	93	요리하다(1)	119	인사하다(2)		
16	안다(4)	42	업다	68	열다(6)	94	요리하다(2)	120	인사하다(3)		
17	안다(5)	43	업다	69	열다(7)	95	운전하다(1)	121	일어나다(1)		
18	안마하다	44	업히다(1)	70	열다(8)	96	운전하다(2)	122	일어나다(2)		
19	앉다(1)	45	업히다(2)	71	열리다	97	울다(1)	123	일하다(1)		
20	앉다(2)	46	업히다(3)	72	열리다	98	울다(2)	124	일하다(2)		
21	앉다(3)	47	없다(1)	73	엿듣다	99	울다(3)	125	일하다(3)		
22	앉다(4)	48	없다(2)	74	엿보다	100	울다(4)	126	읽다(1)		
23	앉다(5)	49	없다(3)	75	오다(1)	101	울리다	127	읽다(2)		
24	앉히다(1)	50	없다(4)	76	오다(2)	102	울리다(1)	128	잃어버리다		
25	앉히다(2)	51	엎드리다	77	오다(3)	103	울리다(2)	129	입다(1)		
26	야구 하다(1)	52	엎지르다(1)	78	오리다	104	울리다(3)	130	입다(2)		

동사의 목록

ㅈ

1	자다(1)	27	자르다(12)	53	잡히다(1)	79	정리하다(3)	105	주무르다(1)	131	지우다(2)
2	자다(2)	28	자르다(13)	54	잡히다(2)	80	정리하다(4)	106	주무르다(2)	132	지우다(3)
3	자다(3)	29	자르다(14)	55	잡히다(3)	81	젖다(1)	107	주문하다(1)	133	지저분하다
4	자다(4)	30	자르다(15)	56	재다(1)	82	젖다(2)	108	주문하다(2)	134	진찰하다
5	자다(5)	31	작다(1)	57	재다(2)	83	젖다(3)	109	주문하다(3)	135	집다(1)
6	자다(6)	32	작다(2)	58	재다(3)	84	조르다	110	주문하다(4)	136	집다(2)
7	자다(7)	33	작다(3)	59	재다(4)	85	조용히 시키다	111	주사 맞다(1)	137	짓다(1)
8	자다(8)	34	작다(4)	60	재다(5)	86	졸다(1)	112	주사 맞다(2)	138	짓다(2)
9	자다(9)	35	작다(5)	61	재다(6)	87	졸다(2)	113	주차하다	139	짓다
10	자다(10)	36	작다(6)	62	재우다(1)	88	좁다	114	죽다	140	짚다
11	자랑하다(1)	37	작다(7)	63	재우다(2)	89	주다(1)	115	줄넘기하다(1)		[그림 4-1] 주다
12	자랑하다(2)	38	잠그다(1)	64	재우다(3)	90	주다(2)	116	줄넘기하다(2)		[그림 4-2] 주다
13	자랑하다(3)	39	잠그다(2)	65	저금하다(1)	91	주다(3)	117	줄넘기하다(3)		
14	자랑하다(4)	40	잠그다(3)	66	저금하다(2)	92	주다(4)	118	줄 서다(1)		
15	자랑하다(5)	41	잠그다(4)	67	적다	93	주다(5)	119	줄 서다(2)		
16	자르다(1)	42	잡다(1)	68	전화하다(1)	94	주다(6)	120	줄 서다(3)		
17	자르다(2)	43	잡다(2)	69	전화하다(2)	95	주다(7)	121	줄 서다(4)		
18	자르다(3)	44	잡다(3)	70	전화하다(3)	96	주다(8)	122	줍다(1)		
19	자르다(4)	45	잡다(4)	71	전화하다(4)	97	주다(9)	123	줍다(2)		
20	자르다(5)	46	잡다(5)	72	젊다	98	주다(10)	124	줍다(3)		
21	자르다(6)	47	잡다(6)	73	접다	99	주다(11)	125	줍다(4)		
22	자르다(7)	48	잡다(7)	74	젓다(1)	100	주다(12)	126	줍다(5)		
23	자르다(8)	49	잡다(8)	75	젓다(2)	101	주다(13)	127	지다		
24	자르다(9)	50	잡다(9)	76	정리시키다	102	주다(14)	128	지다(1)		
25	자르다(10)	51	잡다(10)	77	정리하다(1)	103	주다(15)	129	지다(2)		
26	자르다(11)	52	잡다(11)	78	정리하다(2)	104	주다(16)	130	지우다(1)		

ㅉ

1	짜다(1)	27	찍다(4)
2	짜다(2)	28	찍다(1)
3	짜다(3)	29	찍다(2)
4	짜다	30	찍다
5	짧다(1)	31	찢다(1)
6	짧다(2)	32	찢다(2)
7	짧다(3)	33	찢다(3)
8	짧다(4)	34	찢다(4)
9	짧다(5)	35	찢다(5)
10	짧다(6)	36	찢어지다(1)
11	쫓다(1)	37	찢어지다(2)
12	쫓다(2)	38	찢어지다(3)
13	쫓다(3)		
14	쫓다(5)		
15	쫓다(5)		
16	쫓다(6)		
17	쬐다(1)		
18	쬐다(2)		
19	쬐다(3)		
20	쬐다(4)		
21	찌다(1)		
22	찌다(2)		
23	찌다		
24	찍다(1)		
25	찍다(2)		
26	찍다(3)		

ㅊ

1	차갑다(1)	27	청소하다(5)	53	치다(13)
2	차갑다(2)	28	축구 하다	54	치다
3	차다(1)	29	축하하다(1)	55	치다
4	차다(2)	30	축하하다(2)	56	치다
5	차다(3)	31	춤추다(1)	57	치다
6	차다(4)	32	춤추다(2)	58	친하다
7	차다(5)	33	춤추다(4)	59	칠하다(1)
8	차다(6)	34	춤추다(4)	60	칠하다(2)
9	차다(7)	35	춤추다(5)	61	칠하다(3)
10	차다	36	춥다(1)	62	칠하다(4)
11	차리다	37	춥다(2)	63	칠하다(5)
12	참다(1)	38	춥다(3)	64	칭찬하다(1)
13	참다(2)	39	춥다(4)	65	칭찬하다(2)
14	찾다(1)	40	충전하다	66	칭찬하다(3)
15	찾다(2)	41	치다(1)		
16	찾다(3)	42	치다(2)		
17	찾다(4)	43	치다(3)		
18	찾다(5)	44	치다(4)		
19	찾다(6)	45	치다(5)		
20	찾다(7)	46	치다(6)		
21	채우다	47	치다(7)		
22	청소시키다	48	치다(8)		
23	청소하다(1)	49	치다(9)		
24	청소하다(2)	50	치다(10)		
25	청소하다(3)	51	치다(11)		
26	청소하다(4)	52	치다(12)		

ㅋ

1	캐다(1)
2	캐다(2)
3	켜다(1)
4	켜다(2)
5	켜다(3)
6	켜다(4)
7	켜다(5)
8	켜다
9	코 골다
10	코 나오다(1)
11	코 나오다(2)
12	코 풀다
13	코피 나다
14	크다(1)
15	크다(2)
16	크다(3)
17	크다(4)
18	크다(5)
19	크다(6)
20	크다(7)
21	크다(1)
22	크다(2)

동사의 목록

	E							Ⅱ							ㅎ					
1	타다(1)	27	타다(27)	53	튀기다		1	파다(1)	27	피 나다(3)		1	하품하다(1)	27	화장하다(1)	53	흘리다(2)
2	타다(2)	28	타다(28)	54	팅기다		2	파다(2)	28	피다		2	하품하다(2)	28	화장하다(2)	54	흘리다(3)
3	타다(3)	29	타다	55	틀다(1)		3	파다(3)	29	피우다		3	하품하다(3)	29	화장하다(3)	55	흘리다(4)
4	타다(4)	30	타다	56	틀다(2)		4	파마하다	30	피우다		4	할퀴다(1)	30	후라이하다	56	흘리다(5)
5	타다(5)	31	탁구 하다	57	틀다(3)		5	팔다(1)	31	피하다		5	할퀴다(2)	31	훈련시키다(1)	57	힘들다(1)
6	타다(6)	32	태권도 하다(1)	[그림 8-1] 타다			6	팔다(2)				6	핥다(1)	32	훈련시키다(2)	58	힘들다(2)
7	타다(7)	33	태권도 하다(2)	[그림 8-2] 타다			7	팔다(3)				7	핥다(2)	33	훈련하다	59	힘들다(3)
8	타다(8)	34	태우다(1)				8	팔다(4)				8	핥다(3)	34	훔치다(1)	60	힘주다
9	타다(9)	35	태우다(2)				9	팔리다				9	핥다(4)	35	훔치다(2)		
10	타다(10)	36	태우다(3)				10	펄럭거리다				10	핥다(5)	36	흐르다(1)		
11	타다(11)	37	태우다(4)				11	펴다(1)				11	헤어지다(1)	37	흐르다(2)		
12	타다(12)	38	태우다(5)				12	펴다(2)				12	헤어지다(2)	38	흐르다(3)		
13	타다(13)	39	태우다(6)				13	펴다(3)				13	헤어지다(3)	39	흐르다(4)		
14	타다(14)	40	태우다(7)				14	펴다(4)				14	헤엄치다(1)	40	흐리다		
15	타다(15)	41	터지다(1)				15	포장하다				15	헤엄치다(2)	41	흔들다(1)		
16	타다(16)	42	터지다(2)				16	푸다				16	헤엄치다(3)	42	흔들다(2)		
17	타다(17)	43	털다(1)				17	풀다				17	헤엄치다(4)	43	흔들다(3)		
18	타다(18)	44	털다(2)				18	풀다(1)				18	헹구다	44	흔들다(4)		
19	타다(19)	45	텐트 치다				19	풀다(2)				19	혼나다(1)	45	흔들다(5)		
20	타다(20)	46	토하다				20	풀다(3)				20	혼나다(2)	46	흔들다(6)		
21	타다(21)	47	톱질하다(1)				21	풀다				21	혼나다(3)	47	흔들다(7)		
22	타다(22)	48	톱질하다(2)				22	풀칠하다				22	혼나다(4)	48	흔들다(8)		
23	타다(23)	49	톱질하다(3)				23	품다				23	혼나다(5)	49	흔들다(9)		
24	타다(24)	50	통화하다				24	피곤하다				24	혼나다(6)	50	흔들다(10)		
25	타다(25)	51	퇴근하다				25	피 나다(1)				25	혼나다(7)	51	흘기다		
26	타다(26)	52	튀기다				26	피 나다(2)				26	화나다	52	흘리다(1)		

용언 활용의 예

기본형/현재형		과거형		미래/추측/관형사형		관형사형		나열형	대립대조형	이유원인형		조건형	목적형	선택형	활용
다	요	았다/었다	았어요/었어요	ㄹ 것이다	ㄹ 거예요	ㄴ/(으)ㄴ	는	고	는데/(으)ㄴ데	아서/어서	(으)니까	(으)면	(으)러	거나	
사고 나다	사고 나요	사고 났다	사고 났어요	사고 날 것이다	사고 날 거예요	사고 난	사고 나는	사고 나고	사고 나는데	사고 나서	사고 나니까	사고 나면	사고 나러	사고 나거나	
사다	사요	샀다	샀어요	살 것이다	살 거예요	산	사는	사고	사는데	사서	사니까	사면	사러	사거나	
산책하다	산책해요	산책했다	산책했어요	산책할 것이다	산책할 거예요	산책한	산책하는	산책하고	산책하는데	산책해서	산책하니까	산책하면	산책하러	산책하거나	ㅕ 불규칙
샤워하다	샤워해요	샤워했다	샤워했어요	샤워할 것이다	샤워할 거예요	샤워한	샤워하는	샤워하고	샤워하는데	샤워해서	샤워하니까	샤워하면	샤워하러	샤워하거나	ㅕ 불규칙
서다1	서요	섰다	섰어요	설 것이다	설 거예요	선	서는	서고	서는데	서서	서니까	서면	서러	서거나	
서다2	서요	섰다	섰어요	설 것이다	설 거예요	선	서는	서고	서는데	서서	서니까	서면	서러	서거나	
섞다	섞어요	섞었다	섞었어요	섞을 것이다	섞을 거예요	섞은	섞는	섞고	섞는데	섞어서	섞으니까	섞으면	섞으러	섞거나	
설거지시키다	설거지시켜요	설거지시켰다	설거지시켰어요	설거지시킬 것이다	설거지시킬 거예요	설거지시킨	설거지시키는	설거지시키고	설거지시키는데	설거지시켜서	설거지시키니까	설거지시키면	설거지시키러	설거지시키거나	
설거지하다	설거지해요	설거지했다	설거지했어요	설거지할 것이다	설거지할 거예요	설거지한	설거지하는	설거지하고	설거지하는데	설거지해서	설거지하니까	설거지하면	설거지하러	설거지하거나	ㅕ 불규칙
세다1	세요	셌다	셌어요	셀 것이다	셀 거예요	센	세는	세고	세는데	세서	세니까	세면	세러	세거나	
세다2	세요	셌다	셌어요	셀 것이다	셀 거예요	센		세고	센데	세서	세니까	세면		세거나	
세배하다	세배해요	세배했다	세배했어요	세배할 것이다	세배할 거예요	세배한	세배하는	세배하고	세배하는데	세배해서	세배하니까	세배하면	세배하러	세배하거나	ㅕ 불규칙
세수시키다	세수시켜요	세수시켰다	세수시켰어요	세수시킬 것이다	세수시킬 거예요	세수시킨	세수시키는	세수시키고	세수시키는데	세수시켜서	세수시키니까	세수시키면	세수시키러	세수시키거나	
세수하다	세수해요	세수했다	세수했어요	세수할 것이다	세수할 거예요	세수한	세수하는	세수하고	세수하는데	세수해서	세수하니까	세수하면	세수하러	세수하거나	ㅕ 불규칙
세우다1	세워요	세웠다	세웠어요	세울 것이다	세울 거예요	세운	세우는	세우고	세우는데	세워서	세우니까	세우면	세우러	세우거나	
세우다2	세워요	세웠다	세웠어요	세울 것이다	세울 거예요	세운	세우는	세우고	세우는데	세워서	세우니까	세우면	세우러	세우거나	
세차하다	세차해요	세차했다	세차했어요	세차할 것이다	세차할 거예요	세차한	세차하는	세차하고	세차하는데	세차해서	세차하니까	세차하면	세차하러	세차하거나	ㅕ 불규칙
소리치다	소리쳐요	소리쳤다	소리쳤어요	소리칠 것이다	소리칠 거예요	소리친	소리치는	소리치고	소리치는데	소리쳐서	소리치니까	소리치면	소리치러	소리치거나	
소풍 가다	소풍 가요	소풍 갔다	소풍 갔어요	소풍 갈 것이다	소풍 갈 거예요	소풍 간	소풍 가는	소풍 가고	소풍 가는데	소풍 가서	소풍 가니까	소풍 가면	소풍 가러	소풍 가거나	
손들다	손들어요	손들었다	손들었어요	손들 것이다	손들 거예요	손든	손드는	손들고	손드는데	손들어서	손드니까	손들면	손들러	손들거나	ㄹ 탈락 규칙
수영하다	수영해요	수영했다	수영했어요	수영할 것이다	수영할 거예요	수영한	수영하는	수영하고	수영하는데	수영해서	수영하니까	수영하면	수영하러	수영하거나	ㅕ 불규칙
숨기다	숨겨요	숨겼다	숨겼어요	숨길 것이다	숨길 거예요	숨긴	숨기는	숨기고	숨기는데	숨겨서	숨기니까	숨기면	숨기러	숨기거나	
숨다	숨어요	숨었다	숨었어요	숨을 것이다	숨을 거예요	숨은	숨는	숨고	숨는데	숨어서	숨으니까	숨으면	숨으러	숨거나	
숨 쉬다	숨 쉬어요	숨 쉬었다	숨 쉬었어요	숨 쉴 것이다	숨 쉴 거예요	숨 쉰	숨 쉬는	숨 쉬고	숨 쉬는데	숨 쉬어서	숨 쉬니까	숨 쉬면	숨 쉬러	숨 쉬거나	
쉬다	쉬어요	쉬었다	쉬었어요	쉴 것이다	쉴 거예요	쉰	쉬는	쉬고	쉬는데	쉬어서	쉬니까	쉬면	쉬러	쉬거나	
스노보드 타다	스노보드 타요	스노보드 탔다	스노보드 탔어요	스노보드 탈 것이다	스노보드 탈 거예요	스노보드 탄	스노보드 타는	스노보드 타고	스노보드 타는데	스노보드 타서	스노보드 타니까	스노보드 타면	스노보드 타러	스노보드 타거나	

용언 활용의 예

	기본형/현재형		과거형		미래/추측/관형사형		관형사형		나열형	대립대조형	이유원인형		조건형	목적형	선택형	활용
	다	요	았다/었다	았어요/었어요	ㄹ 것이다	ㄹ 거예요	ㄴ/(으)ㄴ	는	고	는데/(으)ㄴ데	아서/어서	(으)니까	(으)면	(으)러	거나	
27	스케이트 타다	스케이트 타요	스케이트 탔다	스케이트 탔어요	스케이트 탈 것이다	스케이트 탈 거예요	스케이트 탄	스케이트 타는	스케이트 타고	스케이트 타는데	스케이트 타서	스케이트 타니까	스케이트 타면	스케이트 타러	스케이트 타거나	
28	스키 타다	스키 타요	스키 탔다	스키 탔어요	스키 탈 것이다	스키 탈 거예요	스키 탄	스키 타는	스키 타고	스키 타는데	스키 타서	스키 타니까	스키 타면	스키 타러	스키 타거나	
29	시끄럽다	시끄러워요	시끄러웠다	시끄러웠어요	시끄러울 것이다	시끄러울 거예요	시끄러운		시끄럽고	시끄러운데	시끄러워서	시끄러우니까	시끄러우면		시끄럽거나	ㅂ 불규칙
30	시들다	시들어요	시들었다	시들었어요	시들 것이다	시들 거예요	시든	시드는	시들고	시드는데	시들어서	시드니까	시들면		시들거나	ㄹ 탈락 규칙
31	시원하다	시원해요	시원했다	시원했어요	시원할 것이다	시원할 거예요	시원한		시원하고	시원한데	시원해서	시원하니까	시원하면		시원하거나	ㅕ 불규칙
32	식히다	식혀요	식혔다	식혔어요	식힐 것이다	식힐 거예요	식힌	식히는	식히고	식히는데	식혀서	식히니까	식히면	식히러	식히거나	
33	신기다	신겨요	신겼다	신겼어요	신길 것이다	신길 거예요	신긴	신기는	신기고	신기는데	신겨서	신기니까	신기면	신기러	신기거나	
34	신다	신어요	신었다	신었어요	신을 것이다	신을 거예요	신은	신는	신고	신는데	신어서	신으니까	신으면	신으러	신거나	
35	싣다	실어요	실었다	실었어요	실을 것이다	실을 거예요	실은	싣는	싣고	싣는데	실어서	실으니까	실으면	실으러	싣거나	ㄷ 불규칙
36	심다	심어요	심었다	심었어요	심을 것이다	심을 거예요	심은	심는	심고	심는데	심어서	심으니까	심으면	심으러	심거나	
37	심부름시키다	심부름시켜요	심부름시켰다	심부름시켰어요	심부름시킬 것이다	심부름시킬 거예요	심부름시킨	심부름시키는	심부름시키고	심부름시키는데	심부름시켜서	심부름시키니까	심부름시키면	심부름시키러	심부름시키거나	
38	심부름하다	심부름해요	심부름했다	심부름했어요	심부름할 것이다	심부름할 거예요	심부름한	심부름하는	심부름하고	심부름하는데	심부름해서	심부름하니까	심부름하면	심부름하러	심부름하거나	ㅕ 불규칙
39	심심하다	심심해요	심심했다	심심했어요	심심할 것이다	심심할 거예요	심심한		심심하고	심심한데	심심해서	심심하니까	심심하면		심심하거나	ㅕ 불규칙
40	싱싱하다	싱싱해요	싱싱했다	싱싱했어요	싱싱할 것이다	싱싱할 거예요	싱싱한		싱싱하고	싱싱한데	싱싱해서	싱싱하니까	싱싱하면		싱싱하거나	ㅕ 불규칙

용언 활용의 예

	기본형/현재형		과거형		미래/추측/관형사형		관형사형		나열형	대립대조형	이유원인형		조건형	목적형	선택형	활용
	다	요	았다/었다	았어요/었어요	ㄹ 것이다	ㄹ 거예요	ㄴ/(으)ㄴ	는	고	는데/(으)ㄴ데	아서/어서	(으)니까	(으)면	(으)러	거나	
1	싸다1	싸요	쌌다	쌌어요	쌀 것이다	쌀 거예요	싼	싸는	싸고	싸는데	싸서	싸니까	싸면	싸러	싸거나	
2	싸다2	싸요	쌌다	쌌어요	쌀 것이다	쌀 거예요	싼	싸는	싸고	싸는데	싸서	싸니까	싸면	싸러	싸거나	
3	싸우다	싸워요	싸웠다	싸웠어요	싸울 것이다	싸울 거예요	싸운	싸우는	싸우고	싸우는데	싸워서	싸우니까	싸우면	싸우러	싸우거나	
4	쌓다	쌓아요	쌓았다	쌓았어요	쌓을 것이다	쌓을 거예요	쌓은	쌓는	쌓고	쌓는데	쌓아서	쌓으니까	쌓으면	쌓으러	쌓거나	
5	썩다	썩어요	썩었다	썩었어요	썩을 것이다	썩을 거예요	썩은	썩는	썩고	썩는데	썩어서	썩으니까	썩으면	썩으러	썩거나	
6	썰다	썰어요	썰었다	썰었어요	썰 것이다	썰 거예요	썬	써는	썰고	써는데	썰어서	써니까	썰면	썰러	썰거나	ㄹ 탈락 규칙
7	쏘다	쏘아요	쏘았다	쏘았어요	쏠 것이다	쏠 거예요	쏜	쏘는	쏘고	쏘는데	쏘아서	쏘니까	쏘면	쏘러	쏘거나	
8	쏘이다	쏘여요	쏘였다	쏘였어요	쏘일 것이다	쏘일 거예요	쏘인	쏘이는	쏘이고	쏘이는데	쏘여서	쏘이니까	쏘이면	쏘이러	쏘이거나	
9	쏟다	쏟아요	쏟았다	쏟았어요	쏟을 것이다	쏟을 거예요	쏟은	쏟는	쏟고	쏟는데	쏟아서	쏟으니까	쏟으면	쏟으러	쏟거나	
10	쓰다1	써요	썼다	썼어요	쓸 것이다	쓸 거예요	쓴		쓰고	쓴데	써서	쓰니까	쓰면		쓰거나	― 탈락 규칙
11	쓰다2	써요	썼다	썼어요	쓸 것이다	쓸 거예요	쓴	쓰는	쓰고	쓰는데	써서	쓰니까	쓰면	쓰러	쓰거나	― 탈락 규칙
12	쓰다3	써요	썼다	썼어요	쓸 것이다	쓸 거예요	쓴	쓰는	쓰고	쓰는데	써서	쓰니까	쓰면	쓰러	쓰거나	― 탈락 규칙
13	쓰다듬다	쓰다듬어요	쓰다듬었다	쓰다듬었어요	쓰다듬을 것이다	쓰다듬을 거예요	쓰다듬은	쓰다듬는	쓰다듬고	쓰다듬는데	쓰다듬어서	쓰다듬으니까	쓰다듬으면	쓰다듬으러	쓰다듬거나	
14	쓰러지다	쓰러져요	쓰러졌다	쓰러졌어요	쓰러질 것이다	쓰러질 거예요	쓰러진	쓰러지는	쓰러지고	쓰러지는데	쓰러져서	쓰러지니까	쓰러지면	쓰러지러	쓰러지거나	
15	쓸다	쓸어요	쓸었다	쓸었어요	쓸 것이다	쓸 거예요	쓴	쓰는	쓸고	쓰는데	쓸어서	쓰니까	쓸면	쓸러	쓸거나	ㄹ 탈락 규칙
16	씌우다	씌워요	씌웠다	씌웠어요	씌울 것이다	씌울 거예요	씌운	씌우는	씌우고	씌우는데	씌워서	씌우니까	씌우면	씌우러	씌우거나	
17	씨름하다	씨름해요	씨름했다	씨름했어요	씨름할 것이다	씨름할 거예요	씨름한	씨름하는	씨름하고	씨름하는데	씨름해서	씨름하니까	씨름하면	씨름하러	씨름하거나	ㅕ 불규칙
18	씩씩하다	씩씩해요	씩씩했다	씩씩했어요	씩씩할 것이다	씩씩할 거예요	씩씩한		씩씩하고	씩씩한데	씩씩해서	씩씩하니까	씩씩하면		씩씩하거나	ㅕ 불규칙
19	씹다	씹어요	씹었다	씹었어요	씹을 것이다	씹을 거예요	씹은	씹는	씹고	씹는데	씹어서	씹으니까	씹으면	씹으러	씹거나	
20	씻다	씻어요	씻었다	씻었어요	씻을 것이다	씻을 거예요	씻은	씻는	씻고	씻는데	씻어서	씻으니까	씻으면	씻으러	씻거나	

용언 활용의 예

	기본형/현재형		과거형		미래/추측/관형사형		관형사형		나열형	대립대조형	이유원인형		조건형	목적형	선택형	활용
	다	요	았다/었다	았어요/었어요	ㄹ 것이다	ㄹ 거예요	ㄴ/(으)ㄴ	는	고	는데/(으)ㄴ데	아서/어서	(으)니까	(으)면	(으)러	거나	
1	아프다	아파요	아팠다	아팠어요	아플 것이다	아플 거예요	아픈		아프고	아픈데	아파서	아프니까	아프면		아프거나	ㅡ 탈락 규칙
2	악수하다	악수해요	악수했다	악수했어요	악수할 것이다	악수할 거예요	악수한	악수하는	악수하고	악수하는데	악수해서	악수하니까	악수하면	악수하러	악수하거나	ㅕ 불규칙
3	안기다	안겨요	안겼다	안겼어요	안길 것이다	안길 거예요	안긴	안기는	안기고	안기는데	안겨서	안기니까	안기면	안기러	안기거나	
4	안다	안아요	안았다	안았어요	안을 것이다	안을 거예요	안은	안는	안고	안는데	안아서	안으니까	안으면	안으러	안거나	
5	안마하다	안마해요	안마했다	안마했어요	안마할 것이다	안마할 거예요	안마한	안마하는	안마하고	안마하는데	안마해서	안마하니까	안마하면	안마하러	안마하거나	ㅕ 불규칙
6	앉다	앉아요	앉았다	앉았어요	앉을 것이다	앉을 거예요	앉은	앉는	앉고	앉는데	앉아서	앉으니까	앉으면	앉으러	앉거나	
7	앉히다	앉혀요	앉혔다	앉혔어요	앉힐 것이다	앉힐 거예요	앉힌	앉히는	앉히고	앉히는데	앉혀서	앉히니까	앉히면	앉히러	앉히거나	
8	야구 하다	야구 해요	야구 했다	야구 했어요	야구 할 것이다	야구 할 거예요	야구 한	야구 하는	야구 하고	야구 하는데	야구 해서	야구 하니까	야구 하면	야구 하러	야구 하거나	ㅕ 불규칙
9	약속하다	약속해요	약속했다	약속했어요	약속할 것이다	약속할 거예요	약속한	약속하는	약속하고	약속하는데	약속해서	약속하니까	약속하면	약속하러	약속하거나	ㅕ 불규칙
10	약하다	약해요	약했다	약했어요	약할 것이다	약할 거예요	약한		약하고	약한데	약해서	약하니까	약하면		약하거나	ㅕ 불규칙
11	얇다	얇아요	얇았다	얇았어요	얇을 것이다	얇을 거예요	얇은		얇고	얇은데	얇아서	얇으니까	얇으면		얇거나	
12	양궁 하다	양궁 해요	양궁 했다	양궁 했어요	양궁 할 것이다	양궁 할 거예요	양궁 한	양궁 하는	양궁 하고	양궁 하는데	양궁 해서	양궁 하니까	양궁 하면	양궁 하러	양궁 하거나	ㅕ 불규칙
13	양보하다	양보해요	양보했다	양보했어요	양보할 것이다	양보할 거예요	양보한	양보하는	양보하고	양보하는데	양보해서	양보하니까	양보하면	양보하러	양보하거나	ㅕ 불규칙
14	얕다	얕아요	얕았다	얕았어요	얕을 것이다	얕을 거예요	얕은		얕고	얕은데	얕아서	얕으니까	얕으면		얕거나	
15	어깨동무하다	어깨동무해요	어깨동무했다	어깨동무했어요	어깨동무할 것이다	어깨동무할 거예요	어깨동무한	어깨동무하는	어깨동무하고	어깨동무하는데	어깨동무해서	어깨동무하니까	어깨동무하면	어깨동무하러	어깨동무하거나	ㅕ 불규칙
16	어둡다	어두워요	어두웠다	어두웠어요	어두울 것이다	어두울 거예요	어두운		어둡고	어두운데	어두워서	어두우니까	어두우면		어둡거나	ㅂ 불규칙
17	어지럽다	어지러워요	어지러웠다	어지러웠어요	어지러울 것이다	어지러울 거예요	어지러운		어지럽고	어지러운데	어지러워서	어지러우니까	어지러우면		어지럽거나	ㅂ 불규칙
18	어지르다	어질러요	어질렀다	어질렀어요	어지를 것이다	어지를 거예요	어지른	어지르는	어지르고	어지르는데	어질러서	어지르니까	어지르면	어지르러	어지르거나	ㄹ 불규칙
19	얹다	얹어요	얹었다	얹었어요	얹을 것이다	얹을 거예요	얹은	얹는	얹고	얹는데	얹어서	얹으니까	얹으면	얹으러	얹거나	
20	업다	업어요	업었다	업었어요	업을 것이다	업을 거예요	업은	업는	업고	업는데	업어서	업으니까	업으면	업으러	업거나	
21	업히다	업혀요	업혔다	업혔어요	업힐 것이다	업힐 거예요	업힌	업히는	업히고	업히는데	업혀서	업히니까	업히면	업히러	업히거나	
22	없다	없어요	없었다	없었어요	없을 것이다	없을 거예요		없는	없고	없는데	없어서	없으니까	없으면		없거나	
23	엎드리다	엎드려요	엎드렸다	엎드렸어요	엎드릴 것이다	엎드릴 거예요	엎드린	엎드리는	엎드리고	엎드리는데	엎드려서	엎드리니까	엎드리면	엎드리러	엎드리거나	
24	엎지르다	엎질러요	엎질렀다	엎질렀어요	엎지를 것이다	엎지를 거예요	엎지른	엎지르는	엎지르고	엎지르는데	엎질러서	엎지르니까	엎지르면	엎지르러	엎지르거나	ㄹ 불규칙
25	연기 나다	연기 나요	연기 났다	연기 났어요	연기 날 것이다	연기 날 거예요	연기 난	연기 나는	연기 나고	연기 나는데	연기 나서	연기 나니까	연기 나면		연기 나거나	
26	연습시키다	연습시켜요	연습시켰다	연습시켰어요	연습시킬 것이다	연습시킬 거예요	연습시킨	연습시키는	연습시키고	연습시키는데	연습시켜서	연습시키니까	연습시키면	연습시키러	연습시키거나	

용언 활용의 예

	기본형/현재형		과거형		미래/추측/관형사형		관형사형		나열형	대립대조형	이유원인형		조건형	목적형	선택형	활용
	다	요	았다/었다	았어요/었어요	ㄹ 것이다	ㄹ 거예요	ㄴ/(으)ㄴ	는	고	는데/(으)ㄴ데	아서/어서	(으)니까	(으)면	(으)러	거나	
27	연습하다	연습해요	연습했다	연습했어요	연습할 것이다	연습할 거예요	연습한	연습하는	연습하고	연습하는데	연습해서	연습하니까	연습하면	연습하러	연습하거나	ㅕ 불규칙
28	연주하다	연주해요	연주했다	연주했어요	연주할 것이다	연주할 거예요	연주한	연주하는	연주하고	연주하는데	연주해서	연주하니까	연주하면	연주하러	연주하거나	ㅕ 불규칙
29	열다	열어요	열었다	열었어요	열 것이다	열 거예요	연	여는	열고	여는데	열어서	여니까	열면	열러	열거나	ㄹ 탈락 규칙
30	열리다1	열려요	열렸다	열렸어요	열릴 것이다	열릴 거예요	열린	열리는	열리고	열리는데	열려서	열리니까	열리면		열리거나	
31	열리다2	열려요	열렸다	열렸어요	열릴 것이다	열릴 거예요	열린	열리는	열리고	열리는데	열려서	열리니까	열리면		열리거나	
32	엿듣다	엿들어요	엿들었다	엿들었어요	엿들을 것이다	엿들을 거예요	엿들은	엿듣는	엿듣고	엿듣는데	엿들어서	엿들으니까	엿들으면	엿들으러	엿듣거나	ㄷ 불규칙
33	엿보다	엿보아요	엿보았다	엿보았어요	엿볼 것이다	엿볼 거예요	엿본	엿보는	엿보고	엿보는데	엿보아서	엿보니까	엿보면	엿보러	엿보거나	
34	오다	와요	왔다	왔어요	올 것이다	올 거예요	온	오는	오고	오는데	와서	오니까	오면		오거나	
35	오리다	오려요	오렸다	오렸어요	오릴 것이다	오릴 거예요	오린	오리는	오리고	오리는데	오려서	오리니까	오리면	오리러	오리거나	
36	올라가다	올라가요	올라갔다	올라갔어요	올라갈 것이다	올라갈 거예요	올라간	올라가는	올라가고	올라가는데	올라가서	올라가니까	올라가면	올라가러	올라가거나	
37	올리다	올려요	올렸다	올렸어요	올릴 것이다	올릴 거예요	올린	올리는	올리고	올리는데	올려서	올리니까	올리면	올리러	올리거나	
38	외우다	외워요	외웠다	외웠어요	외울 것이다	외울 거예요	외운	외우는	외우고	외우는데	외워서	외우니까	외우면	외우러	외우거나	
39	요리하다	요리해요	요리했다	요리했어요	요리할 것이다	요리할 거예요	요리한	요리하는	요리하고	요리하는데	요리해서	요리하니까	요리하면	요리하러	요리하거나	ㅕ 불규칙
40	운전하다	운전해요	운전했다	운전했어요	운전할 것이다	운전할 거예요	운전한	운전하는	운전하고	운전하는데	운전해서	운전하니까	운전하면	운전하러	운전하거나	ㅕ 불규칙
41	울다	울어요	울었다	울었어요	울 것이다	울 거예요	운	우는	울고	우는데	울어서	우니까	울면	울러	울거나	ㄹ 탈락 규칙
42	울리다1	울려요	울렸다	울렸어요	울릴 것이다	울릴 거예요	울린	울리는	울리고	울리는데	울려서	울리니까	울리면	울리러	울리거나	
43	울리다2	울려요	울렸다	울렸어요	울릴 것이다	울릴 거예요	울린	울리는	울리고	울리는데	울려서	울리니까	울리면	울리러	울리거나	
44	웃기다	웃겨요	웃겼다	웃겼어요	웃길 것이다	웃길 거예요	웃긴	웃기는	웃기고	웃기는데	웃겨서	웃기니까	웃기면	웃기러	웃기거나	
45	웃다	웃어요	웃었다	웃었어요	웃을 것이다	웃을 거예요	웃은	웃는	웃고	웃는데	웃어서	웃으니까	웃으면	웃으러	웃거나	
46	윷놀이하다	윷놀이해요	윷놀이했다	윷놀이했어요	윷놀이할 것이다	윷놀이할 거예요	윷놀이한	윷놀이하는	윷놀이하고	윷놀이하는데	윷놀이해서	윷놀이하니까	윷놀이하면	윷놀이하러	윷놀이하거나	ㅕ 불규칙
47	이기다	이겨요	이겼다	이겼어요	이길 것이다	이길 거예요	이긴	이기는	이기고	이기는데	이겨서	이기니까	이기면	이기러	이기거나	
48	이사하다	이사해요	이사했다	이사했어요	이사할 것이다	이사할 거예요	이사한	이사하는	이사하고	이사하는데	이사해서	이사하니까	이사하면	이사하러	이사하거나	ㅕ불규칙
49	인라인스케이트 타다	인라인스케이트 타요	인라인스케이트 탔다	인라인스케이트 탔어요	인라인스케이트 탈 것이다	인라인스케이트 탈 거예요	인라인스케이트 탄	인라인스케이트 타는	인라인스케이트 타고	인라인스케이트 타는데	인라인스케이트 타서	인라인스케이트 타니까	인라인스케이트 타면	인라인스케이트 타러	인라인스케이트 타거나	
50	인사하다	인사해요	인사했다	인사했어요	인사할 것이다	인사할 거예요	인사한	인사하는	인사하고	인사하는데	인사해서	인사하니까	인사하면	인사하러	인사하거나	ㅕ 불규칙
51	일어나다	일어나요	일어났다	일어났어요	일어날 것이다	일어날 거예요	일어난	일어나는	일어나고	일어나는데	일어나서	일어나니까	일어나면	일어나러	일어나거나	
52	일하다	일해요	일했다	일했어요	일할 것이다	일할 거예요	일한	일하는	일하고	일하는데	일해서	일하니까	일하면	일하러	일하거나	ㅕ 불규칙

용언 활용의 예

	기본형/현재형		과거형		미래/추측/관형사형		관형사형		나열형	대립대조형	이유원인형		조건형	목적형	선택형	활용
	다	요	았다/었다	았어요/었어요	ㄹ 것이다	ㄹ 거예요	ㄴ/(으)ㄴ	는	고	는데/(으)ㄴ데	아서/어서	(으)니까	(으)면	(으)러	거나	
53	읽다	읽어요	읽었다	읽었어요	읽을 것이다	읽을 거예요	읽은	읽는	읽고	읽는데	읽어서	읽으니까	읽으면	읽으러	읽거나	
54	잃어버리다	잃어버려요	잃어버렸다	잃어버렸어요	잃어버릴 것이다	잃어버릴 거예요	잃어버린	잃어버리는	잃어버리고	잃어버리는데	잃어버려서	잃어버리니까	잃어버리면	잃어버리러	잃어버리거나	
55	입다	입어요	입었다	입었어요	입을 것이다	입을 거예요	입은	입는	입고	입는데	입어서	입으니까	입으면	입으러	입거나	
56	입히다	입혀요	입혔다	입혔어요	입힐 것이다	입힐 거예요	입힌	입히는	입히고	입히는데	입혀서	입히니까	입히면	입히러	입히거나	

용언 활용의 예

	기본형/현재형		과거형		미래/추측/관형사형		관형사형		나열형	대립대조형	이유원인형		조건형	목적형	선택형	활용
	다	요	았다/었다	았어요/었어요	ㄹ 것이다	ㄹ 거예요	ㄴ/(으)ㄴ	는	고	는데/(으)ㄴ데	아서/어서	(으)니까	(으)면	(으)러	거나	
1	자다	자요	잤다	잤어요	잘 것이다	잘 거예요	잔	자는	자고	자는데	자서	자니까	자면	자러	자거나	
2	자랑하다	자랑해요	자랑했다	자랑했어요	자랑할 것이다	자랑할 거예요	자랑한	자랑하는	자랑하고	자랑하는데	자랑해서	자랑하니까	자랑하면	자랑하러	자랑하거나	ㅕ 불규칙
3	자르다	잘라요	잘렸다	잘랐어요	자를 것이다	자를 거예요	자른	자르는	자르고	자르는데	잘라서	자르니까	자르면	자르러	자르거나	르 불규칙
4	작다	작아요	작았다	작았어요	작을 것이다	작을 거예요	작은		작고	작은데	작아서	작으니까	작으면		작거나	
5	잠그다	잠가요	잠갔다	잠갔어요	잠글 것이다	잠글 거예요	잠근	잠그는	잠그고	잠그는데	잠가서	잠그니까	잠그면	잠그러	잠그거나	ㅡ 탈락 규칙
6	잡다	잡아요	잡았다	잡았어요	잡을 것이다	잡을 거예요	잡은	잡는	잡고	잡는데	잡아서	잡으니까	잡으면	잡으러	잡거나	
7	잡히다	잡혀요	잡혔다	잡혔어요	잡힐 것이다	잡힐 거예요	잡힌	잡히는	잡히고	잡히는데	잡혀서	잡히니까	잡히면	잡히러	잡히거나	
8	재다	재요	쟀다	쟀어요	잴 것이다	잴 거예요	잰	재는	재고	재는데	재서	재니까	재면	재러	재거나	
9	재우다	재워요	재웠다	재웠어요	재울 것이다	재울 거예요	재운	재우는	재우고	재우는데	재워서	재우니까	재우면	재우러	재우거나	
10	저금하다	저금해요	저금했다	저금했어요	저금할 것이다	저금할 거예요	저금한	저금하는	저금하고	저금하는데	저금해서	저금하니까	저금하면	저금하러	저금하거나	
11	적다	적어요	적었다	적었어요	적을 것이다	적을 거예요	적은		적고	적은데	적어서	적으니까	적으면		적거나	
12	전화하다	전화해요	전화했다	전화했어요	전화할 것이다	전화할 거예요	전화한	전화하는	전화하고	전화하는데	전화해서	전화하니까	전화하면	전화하러	전화하거나	ㅕ 불규칙
13	젊다	젊어요	젊었다	젊었어요	젊을 것이다	젊을 거예요	젊은		젊고	젊은데	젊어서	젊으니까	젊으면		젊거나	
14	접다	접어요	접었다	접었어요	접을 것이다	접을 거예요	접은	접는	접고	접는데	접어서	접으니까	접으면	접으러	접거나	
15	젓다	저어요	저었다	저었어요	저을 것이다	저을 거예요	저은	젓는	젓고	젓는데	저어서	저으니까	저으면	저으러	젓거나	ㅅ 불규칙
16	정리시키다	정리시켜요	정리시켰다	정리시켰어요	정리시킬 것이다	정리시킬 거예요	정리시킨	정리시키는	정리시키고	정리시키는데	정리시켜서	정리시키니까	정리시키면	정리시키러	정리시키거나	
17	정리하다	정리해요	정리했다	정리했어요	정리할 것이다	정리할 거예요	정리한	정리하는	정리하고	정리하는데	정리해서	정리하니까	정리하면	정리하러	정리하거나	ㅕ 불규칙
18	젖다	젖어요	젖었다	젖었어요	젖을 것이다	젖을 거예요	젖은	젖는	젖고	젖는데	젖어서	젖으니까	젖으면	젖으러	젖거나	
19	조르다	졸라요	졸랐다	졸랐어요	조를 것이다	조를 거예요	조른	조르는	조르고	조르는데	졸라서	조르니까	조르면	조르러	조르거나	르 불규칙
20	조용히 시키다	조용히 시켜요	조용히 시켰다	조용히 시켰어요	조용히 시킬 것이다	조용히 시킬 거예요	조용히 시킨	조용히 시키는	조용히 시키고	조용히 시키는데	조용히 시켜서	조용히 시키니까	조용히 시키면	조용히 시키러	조용히 시키거나	
21	졸다	졸아요	졸았다	졸았어요	졸 것이다	졸 거예요	존	조는	졸고	조는데	졸아서	조니까	졸면	졸러	졸거나	ㄹ 탈락 규칙
22	좁다	좁아요	좁았다	좁았어요	좁을 것이다	좁을 거예요	좁은		좁고	좁은데	좁아서	좁으니까	좁으면		좁거나	
23	주다	주어요	주었다	주었어요	줄 것이다	줄 거예요	준	주는	주고	주는데	주어서	주니까	주면	주러	주거나	
24	주무르다	주물러요	주물렀다	주물렀어요	주무를 것이다	주무를 거예요	주무른	주무르는	주무르고	주무르는데	주물러서	주무르니까	주무르면	주무르러	주무르거나	르 불규칙
25	주문하다	주문해요	주문했다	주문했어요	주문할 것이다	주문할 거예요	주문한	주문하는	주문하고	주문하는데	주문해서	주문하니까	주문하면	주문하러	주문하거나	ㅕ 불규칙
26	주사 맞다	주사 맞아요	주사 맞았다	주사 맞았어요	주사 맞을 것이다	주사 맞을 거예요	주사 맞은	주사 맞는	주사 맞고	주사 맞는데	주사 맞아서	주사 맞으니까	주사 맞으면	주사 맞으러	주사 맞거나	

용언 활용의 예

	기본형/현재형		과거형		미래/추측/관형사형		관형사형		나열형	대립대조형	이유원인형		조건형	목적형	선택형	활용
	다	요	았다/었다	았어요/었어요	ㄹ 것이다	ㄹ 거예요	ㄴ/(으)ㄴ	는	고	는데/(으)ㄴ데	아서/어서	(으)니까	(으)면	(으)러	거나	
27	주차하다	주차해요	주차했다	주차했어요	주차할 것이다	주차할 거예요	주차한	주차하는	주차하고	주차하는데	주차해서	주차하니까	주차하면	주차하러	주차하거나	ㅕ 불규칙
28	죽다	죽어요	죽었다	죽었어요	죽을 것이다	죽을 거예요	죽은	죽는	죽고	죽는데	죽어서	죽으니까	죽으면	죽으러	죽거나	
29	줄넘기하다	줄넘기해요	줄넘기했다	줄넘기했어요	줄넘기할 것이다	줄넘기할 거예요	줄넘기한	줄넘기하는	줄넘기하고	줄넘기하는데	줄넘기해서	줄넘기하니까	줄넘기하면	줄넘기하러	줄넘기하거나	ㅕ 불규칙
30	줄 서다	줄 서요	줄 섰다	줄 섰어요	줄 설 것이다	줄 설 거예요	줄 선	줄 서는	줄 서고	줄 서는데	줄 서서	줄 서니까	줄 서면	줄 서러	줄 서거나	
31	줍다	주워요	주웠다	주웠어요	주울 것이다	주울 거예요	주운	줍는	줍고	줍는데	주워서	주우니까	주우면	주우러	줍거나	ㅂ 불규칙
32	지다1	저요	졌다	졌어요	질 것이다	질 거예요	진	지는	지고	지는데	져서	지니까	지면	지러	지거나	
33	지다2	저요	졌다	졌어요	질 것이다	질 거예요	진	지는	지고	지는데	져서	지니까	지면	지러	지거나	
34	지우다	지워요	지웠다	지웠어요	지울 것이다	지울 거예요	지운	지우는	지우고	지우는데	지워서	지우니까	지우면	지우러	지우거나	
35	지저분하다	지저분해요	지저분했다	지저분했어요	지저분할 것이다	지저분할 거예요	지저분한		지저분하고	지저분한데	지저분해서	지저분하니까	지저분하면		지저분하거나	ㅕ 불규칙
36	진찰하다	진찰해요	진찰했다	진찰했어요	진찰할 것이다	진찰할 거예요	진찰한	진찰하는	진찰하고	진찰하는데	진찰해서	진찰하니까	신찰하면	진찰하러	진찰하거나	ㅕ 불규칙
37	집다	집어요	집었다	집었어요	집을 것이다	집을 거예요	집은	집는	집고	집는데	집어서	집으니까	집으면	집으러	집거나	
38	짓다	지어요	지었다	지었어요	지을 것이다	지을 거예요	지은	짓는	짓고	짓는데	지어서	지으니까	지으면	지으러	짓거나	ㅅ 불규칙
39	짖다	짖어요	짖었다	짖었어요	짖을 것이다	짖을 거예요	짖은	짖는	짖고	짖는데	짖어서	짖으니까	짖으면	짖으러	짖거나	
40	짚다	짚어요	짚었다	짚었어요	짚을 것이다	짚을 거예요	짚은	짚는	짚고	짚는데	짚어서	짚으니까	짚으면	짚으러	짚거나	

용언 활용의 예

	기본형/현재형		과거형		미래/추측/관형사형		관형사형		나열형	대립대조형	이유원인형		조건형	목적형	선택형	활용
	다	요	았다/었다	았어요/었어요	ㄹ 것이다	ㄹ 거예요	ㄴ/(으)ㄴ	는	고	는데/(으)ㄴ데	아서/어서	(으)니까	(으)면	(으)러	거나	
1	짜다1	짜요	짰다	짰어요	짤 것이다	짤 거예요	짠	짜는	짜고	짜는데	짜서	짜니까	짜면	짜러	짜거나	
2	짜다2	짜요	짰다	짰어요	짤 것이다	짤 거예요	짠		짜고	짠데	짜서	짜니까	짜면		짜거나	
3	짧다	짧아요	짧았다	짧았어요	짧을 것이다	짧을 거예요	짧은		짧고	짧은데	짧아서	짧으니까	짧으면		짧거나	
4	쫓다	쫓아요	쫓았다	쫓았어요	쫓을 것이다	쫓을 거예요	쫓은	쫓는	쫓고	쫓는데	쫓아서	쫓으니까	쫓으면	쫓으러	쫓거나	
5	쬐다	쬐요	쬈다	쬈어요	쬘 것이다	쬘 거예요	쬔	쬐는	쬐고	쬐는데	쬐서	쬐니까	쬐면	쬐러	쬐거나	
6	찌다	쪄요	쪘다	쪘어요	찔 것이다	찔 거예요	찐	찌는	찌고	찌는데	쪄서	찌니까	찌면	찌러	찌거나	
7	찍다1	찍어요	찍었다	찍었어요	찍을 것이다	찍을 거예요	찍은	찍는	찍고	찍는데	찍어서	찍으니까	찍으면	찍으러	찍거나	
8	찍다2	찍어요	찍었다	찍었어요	찍을 것이다	찍을 거예요	찍은	찍는	찍고	찍는데	찍어서	찍으니까	찍으면	찍으러	찍거나	
9	찍다3	찍어요	찍었다	찍었어요	찍을 것이다	찍을 거예요	찍은	찍는	찍고	찍는데	찍어서	찍으니까	찍으면	찍으러	찍거나	
10	찍다4	찍어요	찍었다	찍었어요	찍을 것이다	찍을 거예요	찍은	찍는	찍고	찍는데	찍어서	찍으니까	찍으면	찍으러	찍거나	
11	찢다	찢어요	찢었다	찢었어요	찢을 것이다	찢을 거예요	찢은	찢는	찢고	찢는데	찢어서	찢으니까	찢으면	찢으러	찢거나	
12	찢어지다	찢어져요	찢어졌다	찢어졌어요	찢어질 것이다	찢어질 거예요	찢어진	찢어지는	찢어지고	찢어지는데	찢어져서	찢어지니까	찢어지면	찢어지러	찢어지거나	

용언 활용의 예

기본형/현재형		과거형		미래/추측/관형사형		관형사형		나열형	대립대조형	이유원인형		조건형	목적형	선택형	활용
다	요	았다/었다	았어요/었어요	ㄹ 것이다	ㄹ 거예요	ㄴ/(으)ㄴ	는	고	는데/(으)ㄴ데	아서/어서	(으)니까	(으)면	(으)러	거나	
1 차갑다	차가워요	차가웠다	차가웠어요	차가울 것이다	차가울 거예요	차가운		차갑고	차가운데	차가워서	차가우니까	차가우면		차갑거나	ㅂ 불규칙
2 차다1	차요	찼다	찼어요	찰 것이다	찰 거예요	찬	차는	차고	차는데	차서	차니까	차면	차러	차거나	
3 차다2	차요	찼다	찼어요	찰 것이다	찰 거예요	찬	차는	차고	차는데	차서	차니까	차면	차러	차거나	
4 차리다	차려요	차렸다	차렸어요	차릴 것이다	차릴 거예요	차린	차리는	차리고	차리는데	차려서	차리니까	차리면	차리러	차리거나	
5 참다	참아요	참았다	참았어요	참을 것이다	참을 거예요	참은	참는	참고	참는데	참아서	참으니까	참으면	참으러	참거나	
6 찾다	찾아요	찾았다	찾았어요	찾을 것이다	찾을 거예요	찾은	찾는	찾고	찾는데	찾아서	찾으니까	찾으면	찾으러	찾거나	
7 채우다	채워요	채웠다	채웠어요	채울 것이다	채울 거예요	채운	채우는	채우고	채우는데	채워서	채우니까	채우면	채우러	채우거나	
8 청소시키다	청소시켜요	청소시켰다	청소시켰어요	청소시킬 것이다	청소시킬 거예요	청소시킨	청소시키는	청소시키고	청소시키는데	청소시켜서	청소시키니까	청소시키면	청소시키러	청소시키거나	
9 청소하다	청소해요	청소했다	청소했어요	청소할 것이다	청소할 거예요	청소한	청소하는	청소하고	청소하는데	청소해서	청소하니까	청소하면	청소하러	청소하거나	ㅕ 불규칙
10 축구 하다	축구 해요	축구 했다	축구 했어요	축구 할 것이다	축구 할 거예요	축구 한	축구 하는	축구 하고	축구 하는데	축구 해서	축구 하니까	축구 하면	축구 하러	축구 하거나	ㅕ 불규칙
11 축하하다	축하해요	축하했다	축하했어요	축하할 것이다	축하할 거예요	축하한	축하하는	축하하고	축하하는데	축하해서	축하하니까	축하하면	축하하러	축하하거나	ㅕ 불규칙
12 춤추다	춤추어요	춤추었다	춤추었어요	춤출 것이다	춤출 거예요	춤춘	춤추는	춤추고	춤추는데	춤추어서	춤추니까	춤추면	춤추러	춤추거나	
13 춥다	추워요	추웠다	추웠어요	추울 것이다	추울 거예요	추운		춥고	추운데	추워서	추우니까	추우면		춥거나	ㅂ 불규칙
14 충전하다	충전해요	충전했다	충전했어요	충전할 것이다	충전할 거예요	충전한	충전하는	충전하고	충전하는데	충전해서	충전하니까	충전하면	충전하러	충전하거나	ㅕ 불규칙
15 치다1	쳐요	쳤다	쳤어요	칠 것이다	칠 거예요	친	치는	치고	치는데	쳐서	치니까	치면	치러	치거나	
16 치다2	쳐요	쳤다	쳤어요	칠 것이다	칠 거예요	친	치는	치고	치는데	쳐서	치니까	치면	치러	치거나	
17 치다3	쳐요	쳤다	쳤어요	칠 것이다	칠 거예요	친	치는	치고	치는데	쳐서	치니까	치면	치러	치거나	
18 치다4	쳐요	쳤다	쳤어요	칠 것이다	칠 거예요	친	치는	치고	치는데	쳐서	치니까	치면	치러	치거나	
19 치다5	쳐요	쳤다	쳤어요	칠 것이다	칠 거예요	친	치는	치고	치는데	쳐서	치니까	치면	치러	치거나	
20 친하다	친해요	친했다	친했어요	친할 것이다	친할 거예요	친한		친하고	친한데	친해서	친하니까	친하면		친하거나	ㅕ 불규칙
21 칠하다	칠해요	칠했다	칠했어요	칠할 것이다	칠할 거예요	칠한	칠하는	칠하고	칠하는데	칠해서	칠하니까	칠하면	칠하러	칠하거나	ㅕ 불규칙
22 칭찬하다	칭찬해요	칭찬했다	칭찬했어요	칭찬할 것이다	칭찬할 거예요	칭찬한	칭찬하는	칭찬하고	칭찬하는데	칭찬해서	칭찬하니까	칭찬하면	칭찬하러	칭찬하거나	ㅕ 불규칙

용언 활용의 예

	기본형/현재형		과거형		미래/추측/관형사형		관형사형		나열형	대립대조형	이유원인형		조건형	목적형	선택형	활용
	다	요	았다/었다	았어요/었어요	ㄹ 것이다	ㄹ 거예요	ㄴ/(으)ㄴ	는	고	는데/(으)ㄴ데	아서/어서	(으)니까	(으)면	(으)러	거나	
1	캐다	캐요	캤다	캤어요	캘 것이다	캘 거예요	캔	캐는	캐고	캐는데	캐서	캐니까	캐면	캐러	캐거나	
2	켜다1	켜요	켰다	켰어요	켤 것이다	켤 거예요	켠	켜는	켜고	켜는데	켜서	켜니까	켜면	켜러	켜거나	
3	켜다2	켜요	켰다	켰어요	켤 것이다	켤 거예요	켠	켜는	켜고	켜는데	켜서	켜니까	켜면	켜러	켜거나	
4	코 골다	코 골아요	코 골았다	코 골았어요	코 골 것이다	코 골 거예요	코 곤	코 고는	코 골고	코 고는데	코 골아서	코 고니까	코 골면	코 골러	코 골거나	
5	코 나오다	코 나와요	코 나왔다	코 나왔어요	코 나올 것이다	코 나올 거예요	코 나온	코 나오는	코 나오고	코 나오는데	코 나와서	코 나오니까	코 나오면	코 나오러	코 나오거나	
6	코 풀다	코 풀어요	코 풀었다	코 풀었어요	코 풀 것이다	코 풀 거예요	코 푼	코 푸는	코 풀고	코 푸는데	코 풀어서	코 푸니까	코 풀면	코 풀러	코 풀거나	ㄹ 탈락 규칙
7	코피 나다	코피 나요	코피 났다	코피 났어요	코피 날 것이다	코피 날 거예요	코피 난	코피 나는	코피 나고	코피 나는데	코피 나서	코피 나니까	코피 나면	코피 나러	코피 나거나	
8	크다1	커요	컸다	컸어요	클 것이다	클 거예요	큰		크고	큰데	커서	크니까	크면		크거나	― 탈락 규칙
9	크다2	커요	컸다	컸어요	클 것이다	클 거예요	큰	크는	크고	큰데	커서	크니까	크면		크거나	― 탈락 규칙

용언 활용의 예

	기본형/현재형		과거형		미래/추측/관형사형		관형사형		나열형	대립대조형	이유원인형		조건형	목적형	선택형	활용
	다	요	았다/었다	았어요/었어요	ㄹ 것이다	ㄹ 거예요	ㄴ/(으)ㄴ	는	고	는데/(으)ㄴ데	아서/어서	(으)니까	(으)면	(으)러	거나	
1	타다1	타요	탔다	탔어요	탈 것이다	탈 거예요	탄	타는	타고	타는데	타서	타니까	타면	타러	타거나	
2	타다2	타요	탔다	탔어요	탈 것이다	탈 거예요	탄	타는	타고	타는데	타서	타니까	타면	타러	타거나	
3	타다3	타요	탔다	탔어요	탈 것이다	탈 거예요	탄	타는	타고	타는데	타서	타니까	타면	타러	타거나	
4	탁구 하다	탁구 해요	탁구 했다	탁구 했어요	탁구 할 것이다	탁구 할 거예요	탁구 한	탁구 하는	탁구 하고	탁구 하는데	탁구 해서	탁구 하니까	탁구 하면	탁구 하러	탁구 하거나	ㅓ 불규칙
5	태권도 하다	태권도 해요	태권도 했다	태권도 했어요	태권도 할 것이다	태권도 할 거예요	태권도 한	태권도 하는	태권도 하고	태권도 하는데	태권도 해서	태권도 하니까	태권도 하면	태권도 하러	태권도 하거나	ㅓ 불규칙
6	태우다	태워요	태웠다	태웠어요	태울 것이다	태울 거예요	태운	태우는	태우고	태우는데	태워서	태우니까	태우면	태우러	태우거나	
7	터지다	터져요	터졌다	터졌어요	터질 것이다	터질 거예요	터진	터지는	터지고	터지는데	터져서	터지니까	터지면		터지거나	
8	털다	털어요	털었다	털었어요	털 것이다	털 거예요	턴	터는	털고	터는데	털어서	터니까	털면	털러	털거나	ㄹ 탈락 규칙
9	텐트 치다	텐트 쳐요	텐트 쳤다	텐트 쳤어요	텐트 칠 것이다	텐트 칠 거예요	텐트 친	텐트 치는	텐트 치고	텐트 치는데	텐트 쳐서	텐트 치니까	텐트 치면	텐트 치러	텐트 치거나	
10	토하다	토해요	토했다	토했어요	토할 것이다	토할 거예요	토한	토하는	토하고	토하는데	토해서	토하니까	토하면	토하러	토하거나	ㅓ 불규칙
11	톱질하다	톱질해요	톱질했다	톱질했어요	톱질할 것이다	톱질할 거예요	톱질한	톱질하는	톱질하고	톱질하는데	톱질해서	톱질하니까	톱질하면	톱질하러	톱질하거나	ㅓ 불규칙
12	통화하다	통화해요	통화했다	통화했어요	통화할 것이다	통화할 거예요	통화한	통화하는	통화하고	통화하는데	통화해서	통화하니까	통화하면	통화하러	통화하거나	ㅓ 불규칙
13	퇴근하다	퇴근해요	퇴근했다	퇴근했어요	퇴근할 것이다	퇴근할 거예요	퇴근한	퇴근하는	퇴근하고	퇴근하는데	퇴근해서	퇴근하니까	퇴근하면	퇴근하러	퇴근하거나	ㅓ 불규칙
14	튀기다1	튀겨요	튀겼다	튀겼어요	튀길 것이다	튀길 거예요	튀긴	튀기는	튀기고	튀기는데	튀겨서	튀기니까	튀기면	튀기러	튀기거나	
15	튀기다2	튀겨요	튀겼다	튀겼어요	튀길 것이다	튀길 거예요	튀긴	튀기는	튀기고	튀기는데	튀겨서	튀기니까	튀기면	튀기러	튀기거나	
16	팅기다	팅겨요	팅겼다	팅겼어요	팅길 것이다	팅길 거예요	팅긴	팅기는	팅기고	팅기는데	팅겨서	팅기니까	팅기면	팅기러	팅기거나	
17	틀다	틀어요	틀었다	틀었어요	틀 것이다	틀 거예요	튼	트는	틀고	트는데	틀어서	트니까	틀면	틀러	틀거나	ㄹ 탈락 규칙

용언 활용의 예

	기본형/현재형		과거형		미래/추측/관형사형		관형사형		나열형	대립대조형	이유원인형		조건형	목적형	선택형	활용
	다	요	았다/었다	았어요/었어요	ㄹ 것이다	ㄹ 거예요	ㄴ/(으)ㄴ	는	고	는데/(으)ㄴ데	아서/어서	(으)니까	(으)면	(으)러	거나	
1	파다	파요	팠다	팠어요	팔 것이다	팔 거예요	판	파는	파고	파는데	파서	파니까	파면	파러	파거나	
2	파마하다	파마해요	파마했다	파마했어요	파마할 것이다	파마할 거예요	파마한	파마하는	파마하고	파마하는데	파마해서	파마하니까	파마하면	파마하러	파마하거나	ㅕ 불규칙
3	팔다	팔아요	팔았다	팔았어요	팔 것이다	팔 거예요	판	파는	팔고	파는데	팔아서	파니까	팔면	팔러	팔거나	ㄹ 탈락 규칙
4	팔리다	팔려요	팔렸다	팔렸어요	팔릴 것이다	팔릴 거예요	팔린	팔리는	팔리고	팔리는데	팔려서	팔리니까	팔리면	팔리러	팔리거나	
5	펄럭거리다	펄럭거려요	펄럭거렸다	펄럭거렸어요	펄럭거릴 것이다	펄럭거릴 거예요	펄럭거린	펄럭거리는	펄럭거리고	펄럭거리는데	펄럭거려서	펄럭거리니까	펄럭거리면		펄럭거리거나	
6	펴다	펴요	폈다	폈어요	펼 것이다	펼 거예요	편	펴는	펴고	펴는데	펴서	펴니까	펴면	펴러	펴거나	
7	포장하다	포장해요	포장했다	포장했어요	포장할 것이다	포장할 거예요	포장한	포장하는	포장하고	포장하는데	포장해서	포장하니까	포장하면	포장하러	포장하거나	ㅕ 불규칙
8	푸다	퍼요	펐다	펐어요	풀 것이다	풀 거예요	푼	푸는	푸고	푸는데	퍼서	푸니까	푸면	푸러	푸거나	ㅜ 불규칙
9	풀다1	풀어요	풀었다	풀었어요	풀 것이다	풀 거예요	푼	푸는	풀고	푸는데	풀어서	푸니까	풀면	풀러	풀거나	ㄹ 탈락 규칙
10	풀다2	풀어요	풀었다	풀었어요	풀 것이다	풀 거예요	푼	푸는	풀고	푸는데	풀어서	푸니까	풀면	풀러	풀거나	ㄹ 탈락 규칙
11	풀다3	풀어요	풀었다	풀었어요	풀 것이다	풀 거예요	푼	푸는	풀고	푸는데	풀어서	푸니까	풀면	풀러	풀거나	ㄹ 탈락 규칙
12	풀칠하다	풀칠해요	풀칠했다	풀칠했어요	풀칠할 것이다	풀칠할 거예요	풀칠한	풀칠하는	풀칠하고	풀칠하는데	풀칠해서	풀칠하니까	풀칠하면	풀칠하러	풀칠하거나	ㅕ 불규칙
13	품다	품어요	품었다	품었어요	품을 것이다	품을 거예요	품은	품는	품고	품는데	품어서	품으니까	품으면	품으러	품거나	
14	피곤하다	피곤해요	피곤했다	피곤했어요	피곤할 것이다	피곤할 거예요	피곤한		피곤하고	피곤한데	피곤해서	피곤하니까	피곤하면		피곤하거나	ㅕ 불규칙
15	피 나다	피 나요	피 났다	피 났어요	피 날 것이다	피 날 거예요	피 난	피 나는	피 나고	피 나는데	피 나서	피 나니까	피 나면		피 나거나	
16	피다	피어요	피었다/폈다	피었어요/폈어요	필 것이다	필 거예요	핀	피는	피고	피는데	피어서	피니까	피면		피거나	
17	피우다1	피워요	피웠다	피웠어요	피울 것이다	피울 거예요	피운	피우는	피우고	피우는데	피워서	피우니까	피우면	피우러	피우거나	
18	피우다2	피워요	피웠다	피웠어요	피울 것이다	피울 거예요	피운	피우는	피우고	피우는데	피워서	피우니까	피우면	피우러	피우거나	
19	피하다	피해요	피했다	피했어요	피할 것이다	피할 거예요	피한	피하는	피하고	피하는데	피해서	피하니까	피하면	피하러	피하거나	ㅕ 불규칙

용언 활용의 예

	기본형/현재형		과거형		미래/추측/관형사형		관형사형		나열형	대립대조형	이유원인형		조건형	목적형	선택형	활용
	다	요	았다/었다	았어요/었어요	ㄹ 것이다	ㄹ 거예요	ㄴ/(으)ㄴ	는	고	는데/(으)ㄴ데	아서/어서	(으)니까	(으)면	(으)러	거나	
1	하품하다	하품해요	하품했다	하품했어요	하품할 것이다	하품할 거예요	하품한	하품하는	하품하고	하품하는데	하품해서	하품하니까	하품하면	하품하러	하품하거나	ㅓ 불규칙
2	할퀴다	할퀴어요	할퀴었다	할퀴었어요	할퀼 것이다	할퀼 거예요	할퀸	할퀴는	할퀴고	할퀴는데	할퀴어서	할퀴니까	할퀴면	할퀴러	할퀴거나	
3	핥다	핥아요	핥았다	핥았어요	핥을 것이다	핥을 거예요	핥은	핥는	핥고	핥는데	핥아서	핥으니까	핥으면	핥으러	핥거나	
4	헤어지다	헤어져요	헤어졌다	헤어졌어요	헤어질 것이다	헤어질 거예요	헤어진	헤어지는	헤어지고	헤어지는데	헤어져서	헤어지니까	헤어지면	헤어지러	헤어지거나	
5	헤엄치다	헤엄쳐요	헤엄쳤다	헤엄쳤어요	헤엄칠 것이다	헤엄칠 거예요	헤엄친	헤엄치는	헤엄치고	헤엄치는데	헤엄쳐서	헤엄치니까	헤엄치면	헤엄치러	헤엄치거나	
6	헹구다	헹궈요	헹궜다	헹궜어요	헹굴 것이다	헹굴 거예요	헹군	헹구는	헹구고	헹구는데	헹궈서	헹구니까	헹구면	헹구러	헹구거나	
7	혼나다	혼나요	혼났다	혼났어요	혼날 것이다	혼날 거예요	혼난	혼나는	혼나고	혼나는데	혼나서	혼나니까	혼나면	혼나러	혼나거나	
8	화나다	화나요	화났다	화났어요	화날 것이다	화날 거예요	화난	화나는	화나고	화나는데	화나서	화나니까	화나면		화나거나	
9	화장하다	화장해요	화장했다	화장했어요	화장할 것이다	화장할 거예요	화장한	화장하는	화장하고	화장하는데	화장해서	화장하니까	화장하면	화장하러	화장하거나	ㅓ 불규칙
10	후라이하다	후라이해요	후라이했다	후라이했어요	후라이할 것이다	후라이할 거예요	후라이한	후라이하는	후라이하고	후라이하는데	후라이해서	후라이하니까	후라이하면	후라이하러	후라이하거나	ㅓ 불규칙
11	훈련시키다	훈련시켜요	훈련시켰다	훈련시켰어요	훈련시킬 것이다	훈련시킬 거예요	훈련시킨	훈련시키는	훈련시키고	훈련시키는데	훈련시켜서	훈련시키니까	훈련시키면	훈련시키러	훈련시키거나	
12	훈련하다	훈련해요	훈련했다	훈련했어요	훈련할 것이다	훈련할 거예요	훈련한	훈련하는	훈련하고	훈련하는데	훈련해서	훈련하니까	훈련하면	훈련하러	훈련하거나	ㅓ 불규칙
13	훔치다	훔쳐요	훔쳤다	훔쳤어요	훔칠 것이다	훔칠 거예요	훔친	훔치는	훔치고	훔치는데	훔쳐서	훔치니까	훔치면	훔치러	훔치거나	
14	흐르다	흘러요	흘렀다	흘렀어요	흐를 것이다	흐를 거예요	흐른	흐르는	흐르고	흐르는데	흘러서	흐르니까	흐르면		흐르거나	르 불규칙
15	흐리다	흐려요	흐렸다	흐렸어요	흐릴 것이다	흐릴 거예요	흐린		흐리고	흐린데	흐려서	흐리니까	흐리면		흐리거나	
16	흔들다	흔들어요	흔들었다	흔들었어요	흔들 것이다	흔들 거예요	흔든	흔드는	흔들고	흔드는데	흔들어서	흔드니까	흔들면	흔들러	흔들거나	ㄹ 탈락 규칙
17	흘기다	흘겨요	흘겼다	흘겼어요	흘길 것이다	흘길 거예요	흘긴	흘기는	흘기고	흘기는데	흘겨서	흘기니까	흘기면	흘기러	흘기거나	
18	흘리다	흘려요	흘렸다	흘렸어요	흘릴 것이다	흘릴 거예요	흘린	흘리는	흘리고	흘리는데	흘려서	흘리니까	흘리면	흘리러	흘리거나	
19	힘들다	힘들어요	힘들었다	힘들었어요	힘들 것이다	힘들 거예요	힘든		힘들고	힘든데	힘들어서	힘드니까	힘들면		힘들거나	ㄹ 탈락 규칙
20	힘주다	힘주어요	힘주었다	힘주었어요	힘줄 것이다	힘술 거예요	힘준	힘주는	힘주고	힘주는데	힘주어서	힘주니까	힘주면	힘주러	힘주거나	

불규칙용언의 목록

ㄷ 불규칙	ㄹ 불규칙	ㅂ 불규칙	ㅅ 불규칙
싣다	어지르다	시끄럽다	젓다
엿듣다	엎지르다	어둡다	짓다
	자르다	어지럽다	
	조르다	줍다	
	주무르다	차갑다	
	흐르다	춥다	

여 불규칙

산책하다	어깨동무하다	충전하다
샤워하다	연습하다	친하다
설거지하다	연주하다	칠하다
세배하다	요리하다	칭찬하다
세수하다	운전하다	탁구 하다
세차하다	윷놀이하다	태권도 하다
수영하다	이사하다	토하다
시원하다	인사하다	톱질하다
심부름하다	일하다	통화하다
심심하다	자랑하다	퇴근하다
싱싱하다	전화하다	파마하다
씨름하다	정리하다	포장하다
씩씩하다	주문하다	풀칠하다
악수하다	주차하다	피곤하다
안마하다	줄넘기하다	피하다
야구 하다	지저분하다	하품하다
약속하다	진찰하다	화장하다
약하다	청소하다	후라이하다
양궁 하다	축구 하다	훈련하다
양보하다	축하하다	

ㅜ 불규칙	ㄹ 탈락 규칙	ㅡ 탈락 규칙
푸다	손들다	쓰다1
	시들다	쓰다2
	썰다	쓰다3
	쓸다	아프다
	열다	잠그다
	울다	크다1
	졸다	크다2
	코 풀다	
	털다	
	틀다	
	팔다	
	풀다1	
	풀다2	
	풀다3	
	흔들다	
	힘들다	

저자
소개

김희영(Kim Heeyoung)

서강대학교 학사(영어영문학)
이화여자대학교 대학원 석사(특수교육학)
단국대학교 대학원 박사(특수교육학 청각언어장애아교육)
언어재활사 1급
현 김희영아동발달센터 언어치료사

논문
「모음 환경에 따른 인공와우이식 아동의 자음산출능력」(2012)

저 · 역서
『혼자 할 수 있어요』(공저, 학지사, 2004)
『그림 동작어 사전』(공저, 학지사, 2002)
『언어장애 아동의 의사소통 지도』(공역, 이화여자대학교출판부, 1992)

자료집
〈그림을 보면 문장이 술술〉(인싸이트, 2014)
〈조음음운지도〉(공저, 시그마프레스, 2010)
〈큰 소리로 말해요 함께 웃어요〉(공저, 보건복지부, 2009)

강정애(Kang Jeongae)

나사렛대학교 학사(인간재활학)
언어재활사 1급
현 김희영아동발달센터 언어치료사

저서
『혼자 할 수 있어요』(공저, 학지사, 2004)

자료집
〈그림을 보면 문장이 술술〉(인싸이트, 2014)
〈조음음운지도〉(공저, 시그마프레스, 2010)

김승미(Kim Seungmi)

수원여자대학교 전문학사(사회복지학)
루터대학교 학사(언어치료학)
단국대학교 대학원 석사(언어병리전공)
단국대학교 대학원 박사수료(언어병리전공)
언어재활사 1급
현 김희영아동발달센터 언어치료사

논문
「취학전 말더듬 아동에 대한 교사의 인식 및 태도」(2013)

김은형(Kim Eunhyeong)

강남대학교 학사(사회사업학)
나사렛대학교 재활복지대학원 석사(언어치료학)
언어재활사 1급
현 김희영아동발달센터 언어치료사

논문
「청각장애 대학생의 문자를 통한 의사소통 능력」(2004)

자료집
〈그림을 보면 문장이 술술〉(인싸이트, 2014)

전효진(Jeon Hyojin)

순천향대학교 학사(아동학)
단국대학교 대학원 석사(특수교육학과 정서 및 자폐성장애아동교육)
언어재활사 2급
학습장애(난독증)전문가
현 김희영아동발달센터 인지학습전문가

논문
「소집단 협동놀이가 자폐성 장애아동의 사회적 상호작용에 미치는 영향」(2007)

자료집
〈그림을 보면 문장이 술술〉(인싸이트, 2014)

만화삽화가 김준식(Kim Junsik)

창작작업실 '풍등'에서 어린이들을 위한 만화와 교재삽화를 그리고 있습니다.
http://blog.naver.com/assesg1

그린 책
『굿바이! 틀리기 쉬운 국어문제』(좋은책 씨속열매, 2005)
『생각이 열리는 탈무드 그림판』(삼성출판사, 2004)
『세상을 바꾼 위대한 과학자들』(사회평론, 2004)
『생각이 열리는 이솝우화 그림판』(삼성출판사, 2003)

저자들은 현재 김희영아동발달센터(www.khydream.com)에서 치료와 연구를 진행하고 있습니다.

한국어 그림동사사전 ^하

Korean Picture Verb Dictionary

2017년 9월 25일 1판 1쇄 발행
2021년 5월 20일 1판 3쇄 발행

지은이 • 김희영 · 강정애 · 김승미 · 김은형 · 전효진
펴낸이 • 김진환
펴낸곳 • (주) 학지사
　　　　04031 서울특별시 마포구 양화로 15길 20 마인드월드빌딩
대표전화 • 02)330-5114　　　　팩스 • 02)324-2345
등록번호 • 제313-2006-000265호

홈페이지 • http://www.hakjisa.co.kr
페이스북 • https://www.facebook.com/hakjisabook

ISBN 978-89-997-1332-3 94370
　　　 978-89-997-1330-9 94370 (set)

정가 34,000원

이 도서의 국립중앙도서관 출판시도서목록(CIP)은 서지정보유통지
원시스템 홈페이지(http://seoji.nl.go.kr)와 국가자료공동목록시스템
(http://www.nl.go.kr/kolisnet)에서 이용하실 수 있습니다.
(CIP 제어번호: CIP2017019363)

출판 · 교육 · 미디어기업 학지사

간호보건의학출판 학지사메디컬 www.hakjisamd.co.kr
심리검사연구소 인싸이트 www.inpsyt.co.kr
학술논문서비스 뉴논문 www.newnonmun.com
원격교육연수원 카운피아 www.counpia.com

그림을 보면 문장이 술술 문장패턴 I

연구개발: 김희영 / 대상: 취학 전 아동, 언어발달 지체 아동, 다문화가정 아동

재미있는 그림카드를 활용해 아동의 언어 이해 및 표현 능력을 효과적으로 향상시킬 수 있는 언어지도 프로그램이다.

구분	구성	가격
세트	개별연습카드(389장), 음식 및 가족얼굴, 타는 자세, 탈것, 다국적 가족인형, 가족별 인형 소품, 카드배열판, 식사장면 그림판	128,000원

그림을 보면 문장이 술술 문장패턴 II

연구개발: 김희영 / 대상: 취학 전 아동, 언어발달 지체 아동, 다문화가정 아동

재미있는 그림카드를 활용해 아동의 언어 이해 및 표현 능력을 효과적으로 향상시킬 수 있는 언어지도 프로그램 2탄은 1탄과 마찬가지로 단문을 연습한다. '가족'이나 '신체'로 한정되어있던 1탄과 달리 다양한 장소에서 해당 장소에 있는 사물들을 통해 여러 가지 단문을 연습할 수 있다.

구분	구성	가격
세트	활용가이드 1부, 3어절 카드(12장), 4어절 카드(16장), 장소가게카드(1장), 3어절 카드판(1장), 4어절 카드판(1장), 장소카드 물건찾기판(15장), 조각그림-사는인형(27종)	145,000원